MEDICINA TRADICIONAL CHINESA

um modo alternativo de pensar

Fritz G. Wallner

MEDICINA TRADICIONAL CHINESA

um modo alternativo de pensar

IMPORTANTES ANÁLISES DOS MODOS DE PENSAR E AGIR DA MEDICINA COMPLEMENTAR, DA MEDICINA ENERGÉTICA E DA CURA ESPIRITUAL EM RELAÇÃO À MEDICINA TRADICIONAL

Tradução:
ZILDA HUTCHINSON SCHILD SILVA

Editora
Pensamento
SÃO PAULO

Título original: *Traditionelle Chinesische Medizin.*

Publicado mediante acordo com a Schneelöwe Verlagsberatung, D. 87648 Aitrang / Germany.

Ensaio de Günter Gunia

Coordenação Editorial: Denise de C. Rocha Delela e Roseli de S. Ferraz

Preparação de originais: Karina Jannini

Revisão: Maria Aparecida A. Salmeron

Diagramação: Fama Editoração Eletrônica

Dados Internacionais de Catalogação na Publicação (CIP)
(Câmara Brasileira do Livro, SP, Brasil)

Wallner, Fritz G.
Medicina tradicional chinesa : um modo alternativo de pensar / Fritz G. Wallner ; tradução Zilda Hutchinson Schild Silva. — São Paulo : Pensamento, 2011.

Título original: Traditionelle chinesische
Medizin. Bibliografia. ISBN 978-85-315-1738-9
1. Acupuntura 2. Medicina chinesa I. Título.

11-05094 CDD-610.951

Índices para catálogo sistemático:
1. Medicina chinesa 610.951

O primeiro número à esquerda indica a edição, ou reedição, desta obra. A primeira dezena à direita indica o ano em que esta edição, ou reedição, foi publicada.

Edição	Ano
1-2-3-4-5-6-7-8-9-10-11	11-12-13-14-15-16-17-18

Direitos de tradução para a língua portuguesa
adquiridos com exclusividade pela
EDITORA PENSAMENTO-CULTRIX LTDA.
Rua Dr. Mário Vicente, 368 — 04270-000 — São Paulo, SP
Fone: 2066-9000 — Fax: 2066-9008
E-mail: pensamento@cultrix.com.br
http://www.pensamento-cultrix.com.br
que se reserva a propriedade literária desta tradução.
Foi feito o depósito legal.

SUMÁRIO

A medicina precisa de uma base filosófica?

Eu gostaria de formular a seguinte tese, que talvez seja paradoxal: embora bastante desenvolvido, o atual sistema da medicina no mundo ocidental produz "pacientes decepcionados". Ao dizer isso, contraponho o sistema "ocidental" aos sistemas "orientais" da medicina, como a medicina tradicional chinesa. Minha solução para esse dilema está no postulado de que, quando se *entende* o que acontece durante a cura, o elevado *status quo* da medicina ocidental pode ser mantido, sem que o resultado seja, necessariamente, pacientes decepcionados.

O que entendemos por cura?

Pretendo desenvolver duas ideias. A primeira é que, em sua trajetória até o presente, a medicina ocidental perdeu muito conteúdo. A segunda é que não entendemos o que realmente acontece no processo da cura. À primeira vista, ambas as teses parecem inconcebíveis, pois, desde os primórdios da humanidade, existem cura e entendimento dos processos de cura. No entanto, fico com a minha tese: hoje não entendemos o que a medicina ocidental moderna realmente faz, e encontramos na medicina tradicional chinesa, que tem dois milênios de existência, uma compreensão mais bem desenvolvida da cura e dos processos dela decorrentes. Além disso, no chamado Terceiro Mundo (por exemplo, na África), podemos encontrar sistemas de medicina que, em parte, funcionam muito bem. Na maioria das vezes, quando indagados sobre onde aprenderam a curar, os inúmeros práticos com os quais conversei durante meus trabalhos de pesquisa (mais recentemente, na África do Sul, por exemplo) responderam que foi com a mãe, a avó ou alguém da família. Portanto, esses práticos de medicina natural exercem um conhecimento que indubitável e comprovadamente muitas vezes leva ao sucesso, mas que escapa às concepções e convicções ocidentais no que se refere à transmissão de conhecimentos. E, infelizmente, preciso acrescentar que muitas pessoas que não entendem a ciência europeia (e, a meu ver, elas são a maioria de nós), embora saibam usá-la, olham com superioridade para esses práticos e acreditam que eles trabalham com a intuição, que muitas vezes leva de fato a uma cura (mas outras, ao fracasso). Para eles, a medicina ocidental está muito à frente.

Na verdade, a moderna medicina europeia é relativamente recente. Ela deve sua concepção científica atual a seu "casamento" com as ciências naturais ao longo dos séculos XVIII e XIX. Nessa época, influenciados pelos grandes êxitos das ciências naturais, os expoentes da medicina chegaram à conclusão de que era preciso recorrer às ciências naturais para tornar eficaz o tratamento dos pacientes. Porém, antes dessa transição da medicina para as ciências naturais — portanto, antes do século XVIII —, a medicina europeia nos oferecia um quadro muito diferente, que, tanto na estrutura como na ideia que fazia de si mesma, se distingue da concepção atualmente dominante. Para mostrar com clareza a fronteira que a separa da medicina atual, passou-se a falar em "medicina europeia tradicional" (expressão usada, por exemplo, por meus colegas da Universidade de Medicina de Viena).

Que alterações ocorreram quando as ciências naturais passaram a predominar na atividade médica? Essa pergunta pode ser respondida se voltarmos nossa atenção para os critérios do êxito da ciência europeia e, portanto, para seu procedimento. Um traço marcante da ciência europeia é a redução das características que, mediante uma rigorosa limitação das inúmeras possibilidades da natureza, permitem descobrir os caminhos que levam a um resultado previsível e, por conseguinte, seguro. Destarte, embora o modo de proceder das ciências naturais ganhe em segurança e simplicidade, acaba perdendo uma incrível quantidade de informações. Uma revisão crítica da medicina europeia tem necessariamente de tornar visíveis os aspectos da medicina que se perderam em sua transição para a ciência. Desse modo, deveríamos pesquisar quais possibilidades de cura estão excluídas desse processo que chamamos de medicina ocidental.

Diferenças entre a medicina ocidental e a medicina tradicional chinesa

Para salientar uma dimensão decisiva dessas possibilidades de tratamento, vale a pena mencionar um estudo sobre a acupuntura, realizado na Alemanha e patrocinado por uma empresa de seguros de saúde. O estudo deveria constatar se, em comparação com o tratamento oferecido pela medicina acadêmica a pacientes com dores nas costas e nas pernas, a acupuntura teria um efeito comprovado. Foram formados três grupos de teste: o primeiro foi tratado com medicina acadêmica; o segundo, com medicina chinesa; e o terceiro, com pseudoacupuntura (nesse caso, foram usados pontos-placebo em vez dos pontos de dor da acupuntura). Esse estudo revelou resultados espantosos (que, entretanto, não surpreenderam as pessoas que conhecem a MTC e a acupuntura). O melhor efeito foi obtido no tratamento com acupuntura. A pseudoacupuntura não se mostrou tão eficaz, mas seus resultados não ficaram muito aquém daqueles da acupuntura. Já os da medicina acadêmica foram péssimos. Não devemos nos esquecer de que esse estudo foi patrocinado por pessoas que promovem a medicina acadêmica.

A conclusão parece evidente: com as agulhas da acupuntura, basta espetar, não importa onde. Porém, em minha opinião, isso não é verdade, pois nem sempre os pontos ditos placebo foram de fato placebo! Em um dos casos, pude comprovar que um ponto real de dor foi dado como ponto placebo. Em um estudo científico, isso configura um diletantismo inconcebível, que mostra a precariedade em que de fato se encontra a pesquisa médica. Portanto, para falar sem rodeios, o que esse estudo nos ensina não é que basta lançar mão das agulhas de acupuntura para conseguir melhores resultados (no tratamento da dor), e sim que precisamos refletir sobre a medicina, pois o tratamento de pontos-placebo também foi feito por acupunturistas formados e experientes, e com eles também aconteceu algo que, na medicina acadêmica — infelizmente, diga-se de passagem —, muitas vezes é esquecido: o processo da cura. A cura é um processo pessoal, intersubjetivo, uma ação entre duas pessoas, em que uma quer fazer algo de bom para a outra. Na chamada medicina natural, são muitas as maneiras de estudar que atos praticar com a intenção de influenciar pessoalmente o paciente. O mal-entendido sobre o papel da ciência no mundo ocidental levou-nos a conhecer e optar por um destes dois partidos: o das ciências naturais ou o esotérico. No entanto, essa polarização é errônea e provém de concepções igualmente errôneas. O que "flui" entre as pessoas e não pode ser atribuído a processos materiais foi esquecido na medicina moderna ou acabou passando despercebido. Formulo essa tese de maneira bastante consciente, pois, a meu ver, a psicossomática, que costuma ser apresentada como um contra-argumento pelos médicos tradicionais, é um substituto para um erro de sistema da medicina ocidental, uma vez que relaciona entre si duas entidades (corpo e alma) que foram artificialmente separadas.

Os dois sistemas de medicina mais bem-sucedidos em todo o mundo são a medicina acadêmica (ocidental) e a medicina tradicional chinesa (MTC). Além deles, existem muitos outros sistemas de medicina nos quais não me aprofundarei. Neste momento, interessa-me apenas a diferença sistemática entre esses dois sistemas, que muitas vezes é vista no holismo da MTC. Esse ponto de vista não chega a ser errôneo, mas é bastante superficial, pois também na medicina europeia existe uma infinidade de holismos. Embora seja tentador falar sobre essas diferenças no holismo, não me parece prático. A diferença básica entre a medicina chinesa e a europeia está no modo de pensar da cultura e da língua chinesas. No pensamento chinês, os conceitos são constituídos de maneira diferente daquela do pensamento europeu, uma vez que são interligados pelo contexto. A medicina chinesa possui um imenso tesouro de experiência e é extremamente empírica. Não é uma filosofia, como muitas vezes se ouve dizer. No entanto, o empirismo da MTC se diferencia daquele ocidental na medida em que nela as atividades do indivíduo

— das pessoas, dos médicos e dos pacientes com experiência — são maiores. As possibilidades que o indivíduo tem em sua multiplicidade social, psicológica e biológica são introduzidas na MTC a fim de contarem como experiências. Nas ciências naturais ocidentais, temos, ao contrário, o princípio do purismo, segundo o qual precisamos afastar tudo o que for meramente subjetivo, pois isso poderia perturbar a observação "pura". Esse procedimento levou a ciência ocidental a êxitos gigantescos, que não pretendo contestar. Porém, para a medicina, esse procedimento é desastroso, pois exclui o que de fato desempenha um papel crucial no âmbito da cura. O êxito da medicina chinesa deve-se ao fato de que, com os tratamentos, surge uma mudança de equilíbrio de médio ou longo prazo. Quem quiser obter resultados rápidos, pautados em uma única causa, naturalmente ficará decepcionado. Já quem visa a uma mudança no sistema em desequilíbrio investirá na MTC.

Como conclusão, eu gostaria de lembrar que temos de descartar a ideia de que o benefício está somente no uso de métodos das ciências naturais. Na medicina, as ciências naturais só levarão realmente a bons resultados quando entendermos o processo da cura; portanto, quando tivermos refletido adequadamente sobre a medicina. E essa é a tarefa do futuro.

Aspectos científicos e teóricos da medicina tradicional chinesa (MTC)

Neste texto, pretendo não somente responder a algumas perguntas muito interessantes, como o farei usando os métodos que introduzi como "estranhamento" [*Verfremdung*] na teoria da ciência. Com essa introdução, quero preparar os leitores para o fato de que possivelmente experimentarão um paradoxo: em minha reflexão, uma disciplina é aplicada à outra. Contudo, essa aplicação não se dá de modo "imperialista" (no sentido de uma disciplina ser imposta a partir do ponto de vista da outra, o que de fato acontece — um procedimento apreciado e conhecido, que muitas vezes pode ser visto na filosofia, mas não apenas nela) nem "parasitário" (no sentido de que uma disciplina se serve dos resultados da outra). O efeito de estranhamento que uma disciplina causa em outra serve à reflexão; ele não é imperialista nem parasitário. Por isso, talvez pareça fraco ou inútil; contudo, como se verá no final, não é uma nem outra coisa. Para que os leitores possam compreender melhor a extensão do estranhamento no contexto da discussão médica, abordarei, em primeiro lugar, o desenvolvimento do realismo construtivo, cuja formulação se tornou necessária devido ao fracasso da teoria científica tradicional. Em seguida, irei me dedicar aos problemas da medicina e da medicina complementar, expondo alguns dos resultados que obtive com o estranhamento.

Os efeitos dos posicionamentos cultural e científico

Pode-se falar em vários sistemas diferentes de ciência?

Até três ou quatro décadas atrás, ninguém (muito menos algum teórico da ciência) teria a ideia de colocar ao lado da ciência europeia sistemas científicos não europeus como terminologia de igual valor. Isso seria considerado insensatez, embora nessa época já existisse na história da ciência[1] e na etnologia uma série de documentos comprovando que há diferentes sistemas de ciência e que, portanto, o sistema científico europeu não é o único. Aliás, para evitar dificuldades com a terminologia, o melhor é falarmos de sistemas científicos em vez de ciências. Ainda hoje, entre meus colegas de profissão, há retrógrados que continuam a afirmar que ciência é algo inteiramente europeu. Mas hoje isso já se tornou a opinião de uma minoria. No entanto, por que a ciência europeia teve tanta dificuldade em aceitar a pluralidade de sistemas científicos, apesar das provas históricas e etnológicas?

As últimas décadas do século XX foram marcadas pelo absurdo de que, na teoria da ciência, o que é real costumava ser contestado.[2] E lutar contra a realidade sempre é um posicionamento difícil, que mesmo assim foi mantido por duas décadas. Esse posicionamento pode ser formulado da seguinte maneira: no sistema científico tradicional, temos a convicção de que a ciência retrata o mundo. Portanto, na

---

1. Basta pensar na obra *Die Struktur wissenschaftlicher Revolutionen*, de T. S. Kuhn.

2. Nesse ponto, concordo com Feyerabend em seu *Wider den Methodenzwang*.

concepção tradicional de ciência, aceita-se que há um sistema mundial e um sistema científico, e que este retrata o primeiro. Mais uma vez, a ênfase está no "um". Meu famoso colega Karl Popper achava uma loucura falar de um sistema científico fora da ciência europeia. Para ele, há somente um tipo de ciência. A expressão "sistema científico", que pressupõe mais de uma ciência, questionaria a própria ciência. Há trinta anos, a dificuldade de aceitar os sistemas podia ser formulada da seguinte maneira: como preservar a ciência em sua pretensão tradicional e voltada para o conhecimento, admitindo, ao mesmo tempo, que existem sistemas científicos diferentes, heterogêneos e incompatíveis? Ao que parece, isso constitui um paradoxo. Tradicionalmente, achamos que o sistema mundial e o sistema científico são congruentes. Em outras palavras, por trás disso está a forte aceitação de que a natureza é estruturada como o pensamento. A origem dessa ideia pode ser claramente verificada e se encontra no casamento do platonismo com o cristianismo. O platonismo se concentra no *Uno* e postula que o eterno é verdadeiro, posicionando-se contra o que é dado pelos sentidos e admitindo que o pensamento só leva à verdade quando a subjetividade é apagada. O sujeito puro — portanto, livre de tudo o que hoje a psicologia moderna entende por subjetivo — corresponde a Deus. Naturalmente, Platão não usou esses conceitos. Essas ideias foram incorporadas pelo cristianismo até se transformarem em uma fundamentação teórica, e, por serem errôneas, acabaram criando uma base que ainda temos dificuldade em digerir. Nesse sentido, pode-se chamar de convicção o fato de o mundo apresentar uma estrutura inteligível, de ter sido criado e ser efêmero. Naturalmente, essas convicções também são encontradas para além da reflexão religiosa, como na cosmologia. Disciplina importante da física, a cosmologia questiona o começo do mundo — um questionamento que parece absurdo ao pensamento chinês. Portanto, o sistema mundial está em congruência com o sistema científico, mas essa congruência é uma convicção, não um fato. E essa convicção também serviu de alicerce para aquelas que já estão muito distantes das concepções europeias tradicionais, como as do Círculo de Viena.

O Círculo de Viena e a teoria científica do reflexo

O Círculo de Viena cultiva o ideal da ciência unificada.[3] A partir de 1920, seus membros tentaram, com grande empenho e muita inteligência, descobrir a metodologia comum a todas as ciências. Para eles, é impensável, por exemplo, que a sociologia e a física tenham, em princípio, metodologias diferentes. O pensamento precisa ser uma unidade, a ciência precisa ser um sistema fechado — essa convicção teórica de base depende de toda uma visão de mundo que, no entanto, permanece sem reflexão. O Círculo de Viena pode até ser considerado iluminista, uma vez que refuta rigorosamente toda visão de mundo nas ciências (de acordo com a concepção

3. Consideremos aqui a série de escritos *Einheitswissenschaft*, organizada por Neurath a partir de 1934, ou os congressos internacionais intitulados *Für Einheit der Wissenschaft* [Pela unificação da ciência] (por exemplo, em 1936, em Kopenhagen). Para uma leitura mais acurada, recomendam-se naturalmente o texto *Wissenschaftliche Weltaufassung. Der Wiener Kreis*, documento de fundação redigido por Carnap, Hahn e Neurath, ou os trabalhos de R. Carnap sobre o tema. Para um panorama sobre o assunto, sugere-se o pequeno livro de V. Kraft, *Der Wiener Kreis. Der Ursprung des Neopositivismus* (Springer, 1997).

neopositivista da ciência, apenas a empiria e a associação lógica das máximas empíricas têm validade). Ele postula uma ciência objetiva, lógica e totalmente livre de valores. Como esse postulado teórico da ciência já contradiz a liberdade de valores e falha na compreensão adequada da ciência, essa ideia não cabe na visão do Círculo de Viena.

Raras vezes a teoria do reflexo da ciência é entendida objetiva ou literalmente, e isso acontece até hoje. O fato de a ciência refletir o mundo tal como ele realmente é só é postulado pelos representantes de um "realismo ingênuo" — e o nome dado a essa corrente filosófica já mostra o que a maioria dos filósofos pensa dela. Normalmente, o reflexo é concebido do ponto de vista estrutural. Sendo assim, na estrutura da ciência se reflete a estrutura do mundo. É tarefa da teoria da ciência, que, na verdade, é desenvolvida como disciplina independente pelo Círculo de Viena, testar a logicidade desse sistema de reflexo. Nesse caso, o Círculo de Viena segue a seguinte convicção: se o sistema de reflexo tiver consistência lógica, não poderá estar errado. Para uma escola de pensamento neopositivista como o Círculo de Viena, a ciência como tal não tem de ser obrigatoriamente empírica.

Todavia, suas convicções, bem como suas teses e reflexões, perderam a validade devido à história da ciência e às análises etnográficas. Segundo Feyerabend: "A ideia de um método que contenha princípios fixos, imutáveis e vinculativos para o exercício da ciência e que nos possibilite prover o conceito "ciência" de um conteúdo simples e concreto depara com dificuldades consideráveis quando os resultados da pesquisa histórica a ela se contrapõem. De fato, descobre-se que não existe uma única regra, por mais esclarecedora e gnosiológica que seja, que em algum momento não tenha sido violada".[4]

Construtivismo e realismo construtivo

A partir disso, desenvolveu-se uma nova forma de esclarecer a ciência: o construtivismo. O construtivismo se tornou popular nos anos 1970 em diversas partes do mundo (em grande medida na Alemanha e na Áustria, mas também nos Estados Unidos). Segundo sua tese básica, sistemas científicos são sistemas construídos. No entanto, para os teóricos tradicionais da ciência, essa tese, que soa tão inofensiva, já é uma catástrofe e uma afronta. De fato, quando entendemos sistemas científicos como sistemas construídos, vemo-nos obrigados a perguntar como podemos nos defender da arbitrariedade. A ciência tem, necessariamente, de continuar independente de realidades históricas, sociais e psicológicas. As teorias da física têm valor não porque foram descobertas por um ser humano genial — sem dúvida, a teoria da relatividade tem valor não porque foi descoberta por Einstein. Quando reduzimos as ciências a construções, todas as portas se abrem para as arbitrariedades, e, de acordo com os teóricos tradicionais da ciência, é exatamente nisso que reside o perigo para a ciência. Considero essa problemática central. Como teórico do realismo construtivo, também vejo o perigo da arbitrariedade como um assunto importante.

De todo modo, a meu ver, dos diferentes sistemas construtivistas desenvolvidos — que não poderão ser aqui apre-

4. Cf. Feyerabend, *Wider den Methodenzwang*. Frankfurt am Main, Suhrkamp, 1983, p. 21.

sentados nem mencionados[5] —, muitos não foram bem-sucedidos porque não conseguiram solucionar essa questão da arbitrariedade e, por isso, sempre estiveram sujeitos à crítica — especialmente à dos discípulos de Popper —, de que estariam destruindo a ideia da ciência. O argumento decisivo era e continua sendo o de que a dependência da ciência de algo extracientífico leva à sua ruína. Os adeptos de Popper acham que deveríamos nos ater à independência como característica imanente ao sistema científico. Naturalmente, esse pensamento é uma herança da cultura ocidental. Mantenho uma posição crítica em relação a essa herança, justamente no que se refere à filosofia, e o realismo construtivo formulado por mim é um testemunho suficiente de minha crítica. No entanto, a independência como pressuposto do sistema da ciência não deixa de ser interessante e até importante. Não é por acaso que, na Europa, os cientistas e os artistas exigem a máxima independência. Estou convencido de que, se tirarmos a independência dos cientistas, a criatividade científica desaparecerá. Portanto, o fato de que a ciência não se forma de fora para dentro é de suma importância e uma característica essencial dos sistemas científicos. Todavia, também estou convencido de que não posso concordar com os argumentos de Popper e seus discípulos. Sendo assim, vale perguntar: como se deve argumentar a independência da ciência a partir da perspectiva do realismo construtivo e, por conseguinte, como acabar com a crítica da arbitrariedade?

Em primeiro lugar, o realismo construtivo aceita os sistemas científicos como fatos. O realismo construtivo não exi-

---

5. Para uma visão detalhada, ver meu livro *Die Verwandlung der Wissenschaft*, pp. 129 ss. (Kovac, 2002).

ge legitimar os sistemas científicos.[6] Há diferenças essenciais em relação à teoria da ciência tradicional. Desde Kant até o Círculo de Viena, a grande tarefa da teoria da ciência consistiu em legitimar a ciência, em mostrar que algo é científico. Embora esse projeto nunca tenha dado certo, ele foi mantido. Seja como for, não podemos deixar de registrar que a legitimação da ciência é um empenho que traz consigo incríveis esforços. No realismo construtivo, os sistemas científicos são tomados como realidades, como fatos. No entanto, exige-se de um sistema científico que ele tenha determinada estrutura, tendo em vista as condições ontológicas e os requisitos de conhecimento. Basicamente, isso diferencia de maneira clara o realismo construtivo, por exemplo, daqueles construtivismos presentes nos países de língua alemã, com os quais o realismo construtivo tem diversas semelhanças superficiais, como o construtivismo radical ou o culturalismo da Escola de Marburg ou da Escola de Erlangen. Em lugar algum se exigiu com tanta clareza que o cumprimento das condições ontológicas e dos requisitos de conhecimento fosse condição necessária para o reconhecimento de um sistema científico como fato.

A efetividade é unívoca; a realidade, não

As condições ontológicas resultam das possibilidades da ciência em relação ao objeto, ao mundo. E, naturalmente, também resultam dos conhecimentos acumulados em dois milênios de discussão filosófica na Europa. No realismo

6. Minha tese a respeito é que, em sentido estrito, só podemos falar de construtivismo quando não se pretender nem se tentar legitimar as ciências.

construtivo, faz-se uma clara diferença entre o que a ciência descreve e o que existe. O que existe, portanto, o mundo, não é idêntico ao que é descrito. Destarte, a tese da identidade de ser e pensar é anulada. O que é descrito não é o mundo como ele nos cerca, e sim um extrato ou um construto do mundo. A construção não começa apenas com a atividade científica; ao contrário, é um pressuposto da ciência. Faz-se do mundo um construto na medida em que as coisas do mundo são separadas em características típicas e atípicas. E essa diferenciação, essa classificação por tipos ocorre na cultura da época. O que é típico e efetivo determina a cultura, não a natureza. No segundo ponto, veremos que os chineses têm uma concepção totalmente distinta dos europeus a respeito do que é efetivo. Chamamos esse mundo artificial, o mundo da descrição científica, de "realidade" [*Realität*]. Portanto, realidade é aquela concepção de mundo em que se reúne o que determinada cultura considera importante no mundo.

Dou um exemplo, para que essa reflexão não fique totalmente abstrata. De acordo com a cultura europeia, a natureza parece algo vivo, independente, oposto etc. Na cultura chinesa, a natureza é meramente algo informe, material, que tem de ser formado, caso contrário, não é nada, não desperta interesse. Para nós, o que é interessante na natureza é justamente o que não tem forma. Já na cultura chinesa, é o que pode ser feito a partir dela. Se observarmos os jardins chineses, quase não vemos nada natural no sentido europeu: neles, tudo é construído. Para a cultura chinesa, o construído é interessante, e o que não é construído não desperta interesse pela natureza. A realidade, ou melhor, o que vemos como realidade, depende da cultura a que pertencemos. A realidade é relativa à cultura.

Em contraposição à realidade, naturalmente existe a efetividade [*Wirklichkeit*], o mundo em que vivemos. Contestar esse fato seria uma brincadeira filosófica. Efetividade é tudo o que nos nutre; por exemplo, o ar ou a água, e assim por diante. Portanto, tudo o que é essencial à vida, mas que não é culturalmente elaborado nem culturalmente construído. Essas são as condições ontológicas — a clara distinção entre a "realidade" construída e a "efetividade" dada. Diante da loucura dessa constatação terminológica do realismo construtivo, podemos dizer de maneira incisiva que a ciência descreve a realidade, não a efetividade. A ciência se refere a um mundo construído e artificial. Isso é o que a torna tão perigosa para a natureza. Ela sempre dá preferência ao mundo artificial em vez do natural. Com o mundo natural ela não consegue começar nada. Pela substituição do mundo natural por aquele construído, a natureza passa a ser ameaçada. E infelizmente, neste trabalho não teremos espaço para entrar em um debate sobre a ecologia.[7]

O que é conhecimento?

Além dessas condições ontológicas, precisamos saber quais são as exigências do conhecimento. Sem elas, não podemos falar de ciência. Um sistema linguístico que contenha a realidade apenas em forma falada não é conhecimento; no entan-

---

7. Uma apresentação minuciosa da ontologia do realismo construtivo encontra-se, entre outros, em meu livro *Die Verwandlung der Wissenschaft*, pp.197-210 (Kovac, 2002), mas não no presente trabalho (ver o último capítulo).

to, adquirir conhecimento é o objetivo da ciência ocidental desde que ela surgiu. A maioria das pessoas acredita que, ao se descrever a chamada lei da natureza em linguagem formal, é possível compreender a natureza, ou melhor, adquirir conhecimento. Essa crença é falsa. A pura tradução interna da realidade na linguagem especializada formal (ainda) não é conhecimento. Este passa a existir quando se consegue traduzir em linguagem cotidiana o que é apresentado em linguagem formal, isto é, quando se consegue voltar da realidade para o mundo da vida. Isso não é nenhum sofisma; todavia, atualmente, esse caminho de volta ao mundo da vida ainda não é possível em muitos segmentos da ciência, ou talvez seja até impossível. Portanto, no sentido estrito do conceito de conhecimento a partir da perspectiva do realismo construtivo, podemos constatar que nesses segmentos da ciência não existe conhecimento no sentido verdadeiro. Um exemplo notório disso é a física quântica, pois, de acordo com os cientistas nela especializados, não lhes é possível apresentar seus conhecimentos formais com a linguagem normal do mundo da vida. Isso significa que as leis da física quântica não descrevem nenhum conhecimento, embora dominem muito bem os fenômenos nesse espaço abstrato. Somente a tradução para uma linguagem normal do mundo da vida indica que o conhecimento foi adquirido, cumprindo, assim, uma importante exigência da ciência.

Realizar essas traduções é indubitavelmente um empreendimento difícil, que requer uma metodologia bem definida. O realismo construtivo oferece um procedimento metódico, o "estranhamento". Para desenvolver o estranhamento, a seguinte pergunta serviu de fio condutor: o que podemos fazer quando temos uma linguagem formal? E o ponto de partida para reformular essa pergunta foi a seguinte situação: a teoria científica tradicional examina a estrutura lógica de linguagens especializadas. Quando apontamos aos cientistas eventuais erros de lógica, eles acham que isso não tem nenhum interesse. Na maioria das vezes, passa-se então a uma discussão sobre a validade geral da lógica e se questiona se o suposto erro existiu de fato ou se a linguagem lógica em que ele é descrito constitui uma consideração suficiente. Por fim, a teoria científica tradicional encontrou pouquíssimos erros de lógica nas construções de pensamento da ciência. E se a ciência chegou a cometê-los, os cientistas em atividade reagiram com desinteresse e insensibilidade. De fato, temos de constatar que, na prática científica, os erros de lógica são totalmente insignificantes, uma vez que há outros contextos em jogo. Assim, os historiadores da ciência mostraram que erros de lógica continuaram a existir por décadas, pois não havia melhor estruturação de dados à disposição. Portanto, a análise sintática não é útil para uma nova compreensão da ciência. O estranhamento também se consagra à linguagem, porém não a seus erros (raramente apontar os erros às outras pessoas traz resultados), e sim à sua estrutura implícita de pressupostos. Numa linguagem especializada formal, com determinados termos e dependências lógico-matemáticas, são muitas as implicações sobre a essência do objeto. No entanto, elas não podem ser vistas pelos cientistas porque são parte da linguagem — para os cientistas, a linguagem é algo natural, e somente na linguagem deles é que lhes são dados os objetos de pesquisa.

Porém, quando orientamos os cientistas a se separar de sua linguagem especializada e a observá-la com outros olhos, o estranhamento se efetiva, e com ele o conhecimento é adquirido. O início dessas iniciativas de apoio — vamos chamá-las assim — por parte do realismo construtivo para a aquisição de conhecimento foi interdisciplinar e, posteriormente, ampliado com componentes interculturais. Desse modo, o físico é levado a falar sobre sua pesquisa de uma maneira que seja compreensível, por exemplo, a um químico; ou então, alguém que tenha estudado a medicina acadêmica é levado a explicar um tratamento a um médico que pratique a medicina tradicional chinesa. Esses são apenas dois exemplos. Quanto ao método, o processo de estranhamento empregado pelo realismo construtivo consiste em extrair um sistema de afirmações de seu contexto habitual e inseri-lo em um contexto estranho, para então se observar e registrar o que acontece. Pressupostos implícitos são revelados, pois garantem o funcionamento das linguagens especializadas no contexto original e perdem seu caráter vinculativo no contexto que sofreu estranhamento. Além disso, com a revelação desses pressupostos, o desempenho das construções podem ser refletidos e compreendidos. Nisso reside o conhecimento.[8]

Talvez esse processo possa ser esclarecido de maneira mais ampla com outra citação do livro de Feyerabend, *Wider den Methodenzwang*: "Tanto na China como no Ocidente, o dua-

---

8. No livro *Therapie der Wissenschaft* (Peter Lang, 2005), de K. Greiner, há uma excelente exposição sobre o processo de estranhamento (pp. 96 ss.), bem como sobre a ontologia do realismo construtivo. Destacam-se especialmente os notáveis desenhos e gráficos elaborados por Greiner. Em meu livro *Die Verwandlung der Wissenschaften* (*cit.*), o leitor encontrará uma exposição detalhada sobre o estranhamento nas pp. 210 ss.

lismo imposto pela política levou às descobertas extremamente interessantes e perturbadoras de que há efeitos e meios de diagnóstico que a medicina moderna não conhece nem é capaz de explicar. Mostraram-se lacunas consideráveis na medicina ocidental. Todavia, não se pode esperar que o avanço científico habitual levará, por fim, a uma resposta. No caso da fitoterapia, esse avanço consiste em dois passos. Em primeiro lugar, no preparo dos medicamentos, os componentes químicos das ervas são separados e analisados. Em seguida, são determinados os efeitos específicos de cada componente e, com base neles, o efeito geral sobre determinado órgão é explicado. Isso elimina totalmente a possibilidade de considerar que a erva não analisada modifica o estado de todo o organismo e que é esse estado que cura o órgão doente, não um componente analisado do chá. *Neste, como em outros casos, só adquirimos conhecimento por meio de uma variedade de concepções*, e não pelo uso categórico de uma ideologia privilegiada".[9]

A ciência precisa de reflexão em nível filosófico?

Dentro da medicina complementar, parece certo que a medicina precisa da filosofia. Há muitas razões para esse tipo

9. Feyerabend, *op. cit.*, pp. 66 s. (grifo meu). O autor enfatiza a variedade de concepções necessárias ao conhecimento, mas não explica claramente onde esse conhecimento deve residir — uma falha que é corrigida pelo estranhamento. Na seguinte passagem, Feyerabend se aproxima bastante da ideia de estranhamento elaborada pelo realismo construtivo: "Por isso, o primeiro passo de nossa crítica aos conceitos e reações tradicionais consiste em sair do círculo e descobrir um novo sistema de conceitos, por exemplo, uma nova teoria, que esteja em oposição aos resultados bem fundamentados da observação e que derrube os princípios teóricos mais evidentes. Outra opção seria liberar semelhante sistema de outra ciência, da religião, da mitologia, das ideias de incompetentes ou do desabafo de malucos" (*idem*, pp. 87 s.).

de consideração, mas, a meu ver, em primeiro lugar vale constatar que não é só no âmbito da medicina complementar que a reflexão filosófica é apropriada. Justamente a medicina acadêmica deveria se empenhar para seguir o pensamento da teoria científica. Para mim, não se trata da reflexão pela reflexão, e sim de sugestões concretas de reforma para uma medicina que parece se afastar cada vez mais dos pacientes. A reflexão não é algo que o filósofo, ou seja, o teórico da ciência, deveria fazer sozinho, trancado em suas salas; ao contrário, ela deveria servir para ser aproveitada na prática. Isso não quer dizer que o recolhimento numa reflexão não seja às vezes necessário ou que a reflexão como tal seja um exercício prático (isso, naturalmente, ela nunca poderá ser). Volto a enfatizar: como atividade da teoria científica, a reflexão sobre a ciência tem de ajudar as ciências que são objeto de reflexão a solucionar os problemas que inibem seu desenvolvimento. Muitas vezes, esses problemas só podem ser controlados por uma reorientação intelectual, e, nesse sentido, há que se questionar a teoria da ciência quanto à sua competência involuntária para resolvê-los. No entanto, o "gesto imperialista" que mencionei no início não pode ser parte da ajuda oferecida pela filosofia ou pela teoria da ciência.

Portanto, não me parece necessário justificar a oferta de reflexão que apresento aqui. Em outras palavras, a oferta de ajuda que acompanha minhas reflexões sobre a teoria da ciência a fim de controlar algumas crises na medicina deve justificar-se por si mesma: sua utilidade é a medida do seu sentido. Essa observação poderia ser interpretada como puro otimismo, mas nos últimos anos ou décadas estou cada vez mais convencido de que foi menos o otimismo do que o realismo a me sugerir tal justificação pessoal. Isso porque as ideias que desenvolvi se mostraram extremamente úteis para a discussão sobre medicina no mundo inteiro.[10]

A cientificidade de diferentes sistemas de medicina

Mas voltemos à questão que está no centro de minhas reflexões. Quando nos limitamos a dois sistemas de medicina, ou seja, à medicina ocidental acadêmica e à tradicional chinesa (MTC), deparamos com o seguinte problema a ser resolvido: esses dois sistemas são científicos? A essa questão deve-se associar de imediato a seguinte especificação: naturalmente, o caráter científico da medicina acadêmica e da MTC refere-se à *dimensão* da cientificidade, e não ao seu *tipo*. Com efeito, quando queremos constatar o mesmo tipo de cientificidade, desde o início nossas reflexões são fadadas ao fracasso. Afinal, como poderia o incomensurável ser medido com o mesmo critério? Essa tentativa é simplesmente tola, embora muitas vezes seja aplicada, principalmente pelos médicos acadêmicos (o que aumenta a importância de minha observação anterior de que justamente eles deveriam cultivar mais a reflexão teórico-científica). Desse modo, não estamos questionando uma cientificidade de mesmo tipo, e sim com a mesma dimensão. Portanto: a medicina acadêmica e a MTC têm uma dimensão comparável de cientificidade? A essa pergunta associa-se outra: que papel ambos os sistemas

---

10. Indico como exemplo meu mais recente livro, *What Practitioners of TCM Should Know*, a ser publicado pela editora Peter Lang e traduzido, ao mesmo tempo, para o chinês pela Universidade de MTC, pois os especialistas nessa área estão certos da importância de minhas explicações para sua ação médica.

de medicina devem desempenhar nos serviços sanitários? Ou, em outras palavras: que papel a MTC deve desempenhar nos serviços sanitários de acordo com a minha análise teórico-científica? Ao responder a essa pergunta sobre a cientificidade dos sistemas de medicina, devemos colocar a dependência cultural da ciência no centro da reflexão. Segundo um dos conhecimentos mais importantes da teoria científica do século XX, nenhum sistema de princípios científicos é capaz de se desprender das condições culturais em meio às quais cresce, conseguindo, assim, separar-se da cultura. Para dizer de modo patético, esse conhecimento custou caro: levou ao fracasso da escola de teoria científica mais influente do século XX (ver acima). Toda ciência é e permanece inscrita em sua matriz cultural. O condicionado não é capaz de separar-se daquilo que o condiciona. Em termos mais incisivos, essa visão não perde sua validade com a tão citada diferenciação entre ciência e sociedade, pois não contesto a diferenciação, e sim a falsa convicção de que o resultado dela — nesse caso, a ciência — pode se separar das condições socioculturais de modo que só perdure no campo numenal da verdade.

Costuma-se afirmar que a medicina acadêmica (portanto, a ocidental) é uma "medicina sem cultura". Insisto desde o início que essa determinação da medicina acadêmica é errônea; no entanto, é preciso questionar por que essa opinião surgiu e se mantém de modo tão persistente e duradouro. A razão pode ser rapidamente nomeada: a medicina acadêmica assumiu determinadas características e pressupostos das ciências naturais. Os pressupostos decisivos para o caráter científico (portanto, para que um sistema de princípios ou uma teoria sejam qualificados como ciência) são: (1) depurar os sistemas de princípios de tudo o que for meramente subjetivo, isto é, o processo sem levar a pessoa em consideração; e (2) a imparcialidade da ciência. Ambos os pressupostos se baseiam em hipóteses culturais das ciências naturais ocidentais, a saber, naquela de que um ser humano, com todas as suas características e tendências pessoais, não deve desempenhar nenhum papel nas reflexões científicas e na de que ele deve retirar-se inteiramente da natureza, diante da qual está como sujeito puramente transcendental. (O sujeito transcendental é o sujeito do conhecimento depois da depuração de tudo o que for subjetivo ou psíquico.) A ciência ocidental floresceu com base nessas ideias; contudo, para as ações médicas, elas são totalmente contraproducentes. Eis a razão para a medicina acadêmica ter problemas, embora seja tão bem-sucedida: ela se baseia numa suposição teórica que não pode ser alcançada na prática. A redução de atributos é uma característica da cultura europeia. O "pensamento puro" é um objetivo que a cultura europeia sempre perseguiu e que as ciências naturais concretizaram na medida do possível. Todavia, isso faz com que o pensamento puro não seja destituído de cultura; ao contrário, é uma convicção cultural pré-formada de que o pesquisador tem de se afastar totalmente de seu objeto. Somente nesse afastamento virtual realizado pelo sujeito é que essa tradição ocidental do pensamento pode ser alcançada conforme quer o discurso generalizado. Essa convicção é essencial para a nossa cultura e é totalmente oposta à cultura chinesa. A exclusão do específico, do único do anormal é típica da ciência europeia. No paradigma da ciência ocidental, na mecânica clássica (isto é, na mecânica de Newton), o movimento é cientificamente descrito, mas se trata de uma forma de movimento que não existe na natureza. Além disso, não se levam em conta os inúmeros outros movimentos nela existentes.[11]

Análise de uma doença como objeto ou como função

A subjetividade pura — isto é, a liberdade de características pessoais, portanto a liberdade de estruturas de pensamento a serem consideradas do ponto de vista psicológico — corresponde a uma objetividade construída. Os objetos das ciências naturais existem na natureza não na forma como são tematizados na ciência. O objeto científico é resultado de uma construção: com a escolha de uma pequena quantidade — talvez ilimitada — de características de objetos naturais são criados os objetos artificiais. As ciências naturais tratam de um mundo artificial, e não de um mundo natural. As características abstraídas são estruturadas de acordo com os princípios lógico-matemáticos. Na receita bem-sucedida da ciência europeia, a ação humana só passa a ser válida quando confia nos princípios lógicos. Mas a intencionalidade, que é a característica da ação humana, continua excluída e desaparece na convicção da subjetividade pura. Os métodos da ciência europeia são a indução (conclusão que parte do caso isolado para o geral) e a dedução (conclusão que parte do geral para o caso isolado), e ambos os métodos tomados juntos perseguem o objetivo da universalização — o objetivo de encontrar um resultado que seja sempre válido, isto é, que valha

---

11. Uma caracterização da física aristotélica e galileana e de suas marcantes diferenças encontra-se em Feyerabend, *Wissenschaft als Kunst*. Frankfurt am Main, Suhrkamp, 1984, pp. 72 ss.

em todos os mundos possíveis.[12] Sempre se fazem referências de como o pensamento chinês coloca em foco o caso isolado. Porém, diante do pano de fundo que contém métodos como a indução e a dedução, realmente é errôneo falar aqui de "caso isolado", pois seu conceito já implica uma estrutura de pensamento que é estranha à cultura chinesa. O confronto do geral com o específico (isolado) é tipicamente ocidental.

O pensamento ocidental traz consigo diversos problemas. O mais conhecido é o do ser e do dever ser. A ciência europeia não consegue estabelecer uma distinção entre questões normativas, ou seja, não consegue distinguir perguntas do dever ser de perguntas do pano de fundo do ser. Nesse caso, a célebre sentença reza que do ser não deriva nenhum dever ser. A ciência deve — como muito bem se diz — ser imparcial e não pode fornecer argumentos para decisões normativas. Também essa determinação básica da ciência ocidental leva a consequências de peso na medicina. Assim, o conceito ocidental de doença se baseia no pensamento de que não existe nenhuma pessoa saudável, mas apenas pessoas, nas quais, por falta de exames aprofundados, ainda não se constatou nenhuma doença. Esse conceito de doença naturalmente provoca dificuldades na prática; contudo, ele se baseia na arquitetura do pensamento da ciência europeia. Além disso, dessa arquitetura do pensamento resulta o fato de que a doença é pensada como objeto. A doença é algo objetivo, portanto, algo que pode ser descrito graças aos sintomas. A esse respeito, vale indicar um erro na comparação entre medicina acadêmica e MTC que reside na afirmação de que a medicina

12. Talvez já tenha sido citado aqui o fato de que, na prática, um médico não deve confiar nesse ideal europeu.

acadêmica trata os sintomas, e a MTC, as causas da doença. Esse confronto é um erro lógico, que simplesmente consiste no fato de que a MTC não compartilha do conceito europeu de sintoma. Nela, não se estabelece uma diferença entre as causas de uma doença e seus sintomas. E isso, por sua vez, se fundamenta no fato de que, na MTC, a doença não é algo objetivo, como necessariamente se apresenta à medicina europeia em sua dependência das ciências naturais. Como objeto, na medicina europeia a doença precisa ter características; já na medicina tradicional chinesa, o caráter funcional surge em primeiro plano no pensamento.[13]

No entanto, com as reflexões realizadas até agora, perguntas decisivas tornam-se virulentas: como podem as ciências naturais transmitir tantos conhecimentos sobre o mundo, se somente descrevem um mundo artificial? Como resolver a contradição de que a descrição dos conhecimentos de um mundo artificial se deu no mundo real? Para responder a essas perguntas, no âmbito do realismo construtivo sugiro que se aceite a ideia de que a descrição do mundo artificial, ou seja, do construto do mundo, não é toda a atividade das ciências naturais. Temos então de lidar com as ciências naturais em seu verdadeiro sentido quando é feito um esforço adicional que leva ao conhecimento. Este é alcançado por meio do "estranhamento". Por estranhamento — cabe repetir — entende-se o processo pelo qual um sistema de princípios (por exemplo, da física) é apresentado em outro contexto (neste

13. Gostaria de indicar meus dois textos "TCM and Western Medicine: a comparison in method and ontology" e "Why is TCM scientific?", ambos parte de meu livro *Structure and relativity* (Peter Lang, 2005); bem como meu livro recentemente publicado *What practitioners of TCM should know* (Peter Lang, 2005).Nele, o leitor interessado pode encontrar muitos pensamentos abordados em detalhes.

caso, que não pertença à física) para que se possa entender suas particularidades. Isso acontece pelo fato de que, num novo contexto, os esquemas habituais de explicação já não funcionam. Portanto, quando um sistema de princípios da física se afasta do contexto do mundo cotidiano, causando, assim, um efeito de "estranhamento", o físico que produz esse efeito tem de explicar suas afirmações a um público que não está familiarizado com a linguagem especializada da física. Nela há também um grande número de pressuposições implícitas sobre o objeto da física. Desde o primeiro dia de sua formação universitária, todo físico aprende a pensar os problemas físicos na linguagem da física; portanto, com a linguagem especializada ele acaba assumindo a problemática. O físico socializa-se no universo da física aprendendo a pensar da maneira como a linguagem especializada lhe permite. Ao final de seu estudo, e provavelmente muito antes, mas isso não importa aqui, ele é capaz de nomear, na linguagem matemática da física, os problemas desta e as necessidades que um cenário experimental lhe submete. Pode-se dizer também que ele é capaz de dominar os objetos da física. No estranhamento, o físico é obrigado a deixar a linguagem especializada de lado. Por conseguinte, é obrigado a ver a física com os olhos de um intérprete externo, conhecendo, porém, ao mesmo tempo, os segredos da física a partir de dentro. Portanto, ele lança um olhar não familiarizado sobre o que conhece tão bem. Com a irrupção dessa diferença, com a observação do conhecido como algo desconhecido, pode cristalizar-se o que antes valeu como conhecimento. O estranhamento é uma forma de interpretação. Onde não há estranhamento não há conhecimento. Nesse contexto, pretendo formular a ideia do estranhamento como segue e dar-lhe uma conotação mais ampla: se a ciência ocidental não se voltar ao caso isolado, não estará sendo razoável e imparcial no que se refere à questão do conhecimento.

Critérios divergentes para efetividade e cientificidade

O mundo artificial da ciência europeia é essencialmente estável, não muda. A estabilidade ou a imutabilidade é um critério importante para o pensamento ocidental. A filosofia de Platão já toma explicitamente a imutabilidade como o verdadeiro no olhar; o ente em mutação é irrelevante para o conhecimento. O imutável serve para compreender, enquanto o mutável é duvidoso. Em oposição a isso está o modo de pensar chinês: efetivo é aquilo que flui, que se modifica. Consequentemente, aqui o imutável é considerado irrelevante. A conclusão imediata é que a estabilidade é um critério ocidental, enquanto o equilíbrio fluente é um critério chinês para a cientificidade. Em princípio, deveríamos evitar considerar um critério melhor ou mesmo superior — isso vale tanto para a perspectiva ocidental quanto para a chinesa. Ambos cumprem diversas tarefas e as realizam muito bem, embora sejam diferentes.

Os citados esforços de universalização da ciência ocidental podem ser confrontados com os conceitos do "yin-yang" (ou dos "cinco elementos"). O que esse conceito produz? Produz a transformação constante. Yin e yang controlam-se mutuamente, destroem-se mutuamente, concebem-se mutuamente, passam mutuamente um ao outro, são um aspecto de um e de outro. Yin e yang preenchem aquilo que o estranhamento produz na ciência ocidental, mas de outra maneira, pois, nesse caso, o caminho para a generalidade é excluído. Elementos do mundo da vida, ou seja, do meio ambiente, sofrem um estranhamento um dentro do outro. Um princípio importante da ciência chinesa e, portanto, da MTC, é de que não devem ser elaboradas teorias gerais, mas encontradas descrições nas quais o conhecimento "transparece" na medida em que conceitos do mundo da vida sofrem um estranhamento um dentro do outro. Como exemplo para esse caso, pode-se mencionar o seguinte: para um tumor no estômago existem, na MTC, seis diagnósticos diferentes que, da perspectiva europeia, nada têm a ver com tumor do estômago, pois, seguindo a estrutura do pensamento ocidental, ao observar o corpo, a medicina europeia busca a doença como objeto e, nesse caso, encontra o tumor. O modo de pensar chinês tenta descrever os processos que estão relacionados a um tumor, na medida em que diferentes experiências do mundo da vida sofrem um estranhamento uma dentro da outra, gerando diferentes diretivas. O diagnóstico "fogo úmido no baço" reflete isso com exatidão. Naturalmente, querer saber se "fogo úmido" é mensurável — com a ajuda técnica da medicina europeia — é errada por si só. E igualmente errada é a resposta de que "fogo úmido" ou "calor seco" (como outro diagnóstico possível na MTC) não são mensuráveis porque constituem metáforas — uma resposta que, obviamente, apenas os médicos acadêmicos e leigos dariam. A mensurabilidade do diagnóstico é pressuposto da medicina acadêmica ocidental e, com ela, da estrutura do pensamento ocidental, e ambos estão ausentes na MTC. Nesta existe outra estrutura de pensamento. E o metaforismo é errado porque na MTC não se trata de uma metáfora, e sim de um estranhamento referente ao mundo da vida. Uma experiência de vida é explicada pelo fato de ser traduzida em outra. Na ação do médico da MTC, as experiências diárias, conhecidas como calor, umidade, secura etc., são introduzidas em sua prática. Se analisarmos os textos chineses com exatidão, veremos que as traduções acontecem em uma sistemática rigorosa e, por conseguinte, em sua pretensão, mostram-se tão científicas quanto o estranhamento ou a generalização da ciência ocidental, só que de maneira bem diferente.[14]

O que torna a MTC tão atraente para as pessoas do mundo ocidental?

Não é o caso de aprofundar aqui as razões da eficácia da MTC, uma vez que há pelo menos dois milênios pessoas doentes na China são curadas com ela, mas cabe perguntar por que, nos últimos anos, ela tem exercido uma atração tão grande nos pacientes do mundo ocidental. Por certo, a resposta reside, em grande parte, no fato de que, quanto à sua estrutura de pensamento, a medicina acadêmica necessariamente subdetermina a ação médica. Esta não pode acontecer na medicina acadêmica. O bom médico sabe que, com sua atividade, ele coloca alguma coisa em equilíbrio, fazendo o que, do ponto de vista estritamente científico, não poderia fazer. Justamente essa ação médica é um componente integral da MTC. Nela, o paciente é tratado como o indivíduo que é, e não — como acontece na medicina acadêmica — como a materialização

14. Para mais detalhes, ver meu texto "Chinese and European Concepts of Thinking" em meu livro *Structure and Relativity* (Peter Lang, 2005).

de uma doença a ser tratada ou extirpada com a necessária prescrição de medicamentos ou com a intervenção cirúrgica para que o mecanismo do corpo volte a funcionar sem problemas. Como já notamos, a MTC é um tipo de cura em funcionamento, o que é sempre pressuposto nessas reflexões e não requer provas extras, pois estas são constantemente fornecidas.

Outro ponto interessante é a espiritualidade. Os chineses não conhecem a dicotomia entre corpo e alma, tão fundamental para o pensamento europeu. Desde a Antiguidade grega, corpo e alma são separados em dois diferentes campos do ser. Essa herança espiritual atua na medicina de forma desastrosa, pois indubitavelmente a vida espiritual (para nomear aqui outro possível conceito) exerce grande influência nos processos corporais, influência essa que, no entanto, não deveria absolutamente existir de acordo com os pressupostos das ciências naturais, uma vez que a causalidade só pode ocorrer no sistema fechado da natureza, e, por definição, o espiritual não é parte desse sistema. Na MTC, o espírito sempre é somaticamente determinado e se mostra em correlação com nossas emoções, nossos medos ou em outros processos da consciência junto com processos corporais. Separar corpo e espírito contradiz o pensamento chinês. Na linguagem do realismo construtivo, isso pode ser formulado como segue: fazer do ser humano um objeto passível de ser entendido pressupõe corpo e espírito, pois o estranhamento é um componente constante da MTC e, portanto, um precisa do outro. Para a concepção chinesa, só se pode tornar passível de ser entendida alguma coisa que causa estranhamento em outra. Apenas quando tomamos o corpo e o espírito juntos é que o espírito sofre um estranhamento no corpo e pode ser compreendido como fenômeno. Tomado como objeto, permanece incompreensível e transforma-se em nada.

De acordo com a estrutura chinesa de pensamento, as características só podem se tornar visíveis pelas formas do estranhamento, como no conceito do yin-yang, no dos cinco elementos ou em outros processos do modo de pensar chinês. Caso contrário, elas não podem se tornar visíveis. Por certo, as características não são conceitualmente identificadas da mesma maneira que na tradição do pensamento europeu. Essa diferença se mostra claramente no placebo: a MTC não conhece nenhum efeito placebo, que defino como um erro de método. Na tradição do pensamento europeu, primeiro se divide o que está junto — portanto, corpo e espírito —, depois se postula uma causalidade estrita para os campos materiais em que o corpo se inclui. Quando então a ingestão de uma substância leva à cura do corpo — embora essa substância não possa exercer nenhuma eficácia sobre a doença —, o campo psíquico-espiritual é posicionado para explicar de algum modo o que é inexplicável. No entanto, não há nenhuma explicação, e sim um subterfúgio argumentativo que é camuflado pelo suposto conceito científico e causal do efeito placebo. Desse modo, o efeito placebo pressupõe a ficção europeia do espírito, que não existe no pensamento chinês. Por essa razão, nada encontramos na MTC que se possa comparar com o efeito placebo.

Naturalmente, a questão da espiritualidade também desempenha um papel importante no tratamento. Citemos apenas um exemplo: uma paciente tem pesadelos e está continuamente aborrecida. Caso os remédios não levem ao resultado desejado, a curto ou longo prazo o médico acadêmico lhe recomendará um psicoterapeuta — ou talvez até o faça de imediato e prescreva uma medicação apenas para complementar o tratamento psicoterapêutico. Isto corresponde à estrutura do pensamento ocidental: quando já não se consegue explicar alguma coisa no campo somático, introduz-se a ficção do espírito. Nesse caso, o médico da MTC possivelmente diagnosticaria um excesso de atividade hepática e o eliminaria com a correspondente fitoterapia.

A teoria científica do realismo construtivo ajuda, portanto, a revelar hipóteses estruturais implícitas. Espero ter cumprido, neste curto capítulo, as promessas formuladas no início do livro.

Medicina ocidental e MTC — um estranhamento

Crítica ao modo de pensar do Círculo de Viena

O Círculo de Viena fracassou devido à extensão de seu programa. Faço essa crítica muito a contragosto, pois mantenho uma nítida distância dos críticos do Círculo de Viena, com os quais nada tenho a ver, dada a sua irracionalidade por falta de um fundamento sólido. Essas pessoas fazem sua crítica de modo incompetente, que em parte se alimenta de uma aversão pela lógica ou de preconceitos ideológicos. Minha interpretação dos esforços intelectuais do Círculo de Viena aponta para outra direção: com todo o respeito, é possível constatar que o Círculo de Viena apresentou uma concepção da ciência que não é correta. Desse modo, conforme se mostrará aqui, os resultados do Círculo de Viena estão naquilo que a ciência não é — isso, naturalmente, contra as intenções desse grupo de pesquisadores. O programa do Círculo de Viena fracassa na efetividade da ciência. Com isso, apesar de meu grande respeito por seus esforços, também fica claro que minhas opiniões não podem alinhar-se sob as opiniões daqueles que, ainda hoje, por passatempo histórico, por assim dizer, elevam a teoria do Círculo de Viena. Justamente diante da disposição progressista dentro do Círculo de Viena, parece quase um paradoxo que esses colegas se sintam comprometidos com uma filosofia que tem oitenta anos de idade;

e essa estagnação, por um motivo de preservação, não seria justa para com os representantes do Círculo de Viena.

Os problemas que levaram o Círculo de Viena a fracassar são muito interessantes. Por um lado, cumprem as expectativas que o intelectual mediano tem em relação à ciência; por outro, justamente essas expectativas decepcionam. O intelectual mediano considera a ciência um sistema "comprovado" de princípios. A possibilidade de comprovar sistemas de princípios, sob o título de verificação, foi outro desejo central do Círculo de Viena. Contudo, o fato é que a verificação de sistemas de princípios não tem como dar certo. Assim, a ideia da verificabilidade de sistemas de princípios cai numa contradição interna em relação à pretensão da ciência ocidental (com a verificabilidade, a subjetividade começa a desempenhar novamente um papel). No entanto, o intelectual mediano também espera que uma teoria científica demonstre claramente onde pode ser traçado o limite entre a ciência e a não ciência. Mas esse segundo ponto do programa do Círculo de Viena tampouco prosperou, e o problema da delimitação deve aqui ser considerado não resolvido. Em outros tempos, tratava-se de estabelecer uma delimitação entre astronomia e astrologia; hoje, outros questionamentos foram acrescentados, por exemplo, no campo da psicoterapia. Porém, o que é científico nesta ou naquela psicoterapia e o que é fraude não científica fica sem resposta nos fundamentos do Círculo de Viena. Constato com pesar que o Círculo de Viena não conseguiu resolver o problema da delimitação, assim como não conseguiu formular questões decisivas, porque não pensou nessa direção. Se a ciência é histórica e obviamente não tem fim, qual é a situação da verdade científica? Existe verdade entre essas premissas? Em que sentido se pode falar de verdade se todo princípio em um sistema futuro da ciência poderia ser visto como errôneo?

Nesse questionamento sobre a historicidade da ciência, deve-se muito a Karl Popper, primeiro filósofo de importância que estava ligado ao Círculo de Viena e, ao mesmo tempo, se opunha a ele. O grande mérito de Popper foi ver que a ciência é um desenvolvimento, e não algo estático. Dessa forma, a obra de Popper é uma ponte importante para o realismo construtivo, pois também ele articulou o problema sem conseguir resolvê-lo. E os problemas sem solução não desaparecem simplesmente, mas exigem esforço intelectual que leve à solução. Minhas sugestões de solução ficaram conhecidas como realismo construtivo, uma teoria científica totalmente inovadora. Pelo procedimento habitual, agora deveríamos apresentar os conceitos básicos do realismo construtivo, ou seja, salientar sua ontologia, o método do estranhamento e sua ideia a respeito do conceito de verdade. Mas desta vez não pretendo percorrer esse caminho que já tomei muitas vezes,[1] e sim subdividir a estrutura do pensamento do realismo construtivo como resultado de um estranhamento.

Antes de fazer isso, ainda quero mencionar duas coisas. Uma delas traduz-se na pergunta: o que se segue historicamente ao fracasso do Círculo de Viena? De modo bem coerente, o realismo desenvolveu-se entre 1960 e 1970 e foi ganhando cada vez mais terreno. O relativismo de que falo determina a verdade científica em relação às condições que,

1. O leitor interessado pode ler a apresentação do realismo construtivista em meu livro *Die Verwandlung der Wissenschaft. Vorlesungen zur Jahrtausendwende*, pp.185-228 (publicado em 2002 por Kovac, Hamburgo).

na maioria das vezes, são de natureza cultural e social. Se refletíssemos bem sobre essa posição, não haveria verdade científica. Pois aquilo que é designado como verdade é relativo ou dependente de pressupostos bem determinados, o que justamente corrompe o conceito de verdade. Por certo, essa posição radical provocou a reação de opositores, e a luta contra o relativismo e em torno dele foi árdua. Sobretudo entre os alunos de Popper pôde-se constatar um intenso fervor. Mas já mencionei essa luta muitas vezes,[2] razão pela qual não a tratarei neste momento.

As consequências dos modos de pensar ocidentais

O século passado foi de catástrofes culturais: nacional-socialismo, stalinismo, revolução cultural, para mencionar somente as mais significativas, que custaram a vida de milhões de pessoas. A tese de que esses acontecimentos históricos foram mero azar é errônea. Esses eventos têm sua raiz estrutural na cultura ocidental e, por isso, devem ser esclarecidos a partir dela, uma vez que ela também condiciona a ciência. A comparação da ciência ocidental com a MTC deixa claros três pontos que caracterizam a cultura ocidental: (1) o ser humano perde sua concretude como ser humano — o pesquisador, como tal, não é uma pessoa com emoções subjetivas ("subjetivas" no sentido cotidiano, não naquele da gnosiologia). (2) Outro ponto é o niilismo. Refiro-me à

2. Ver, por exemplo, meu artigo "Cultural Relativism and Cultural Absolutism" em meu livro *Structure and Relativity*, pp. 51-8 (publicado em 2005 por Peter Lang, Frankfurt a. M.).

disposição de decompor e destruir o que existe. Essa disposição também se encontra no construtivismo científico, que pretende juntar a seu modo o que foi decomposto. (3) Por fim, vale mencionar a necessidade europeia de generalização. O universalismo europeu se apresenta em duas variantes: interna e externa. O universalismo interno é o caminho que, dentro de um sistema de explicações, leva (ou deve levar) das explicações específicas de acontecimentos isolados à explicação geral, que em sua generalidade pode ser aplicada a todos os acontecimentos; o universalismo externo nada mais é do que a necessidade de catequizar as outras culturas. Naturalmente, as outras culturas são esclarecidas com os meios que a própria cultura (ocidental) oferece. O universalismo externo exprime-se na religião como catequização, e na ciência, como ciência cultural. Isso pode soar pejorativo, mas está claro que a ciência cultural de outras culturas é estruturada com o mesmo método a partir de uma perspectiva europeia e ocidental.

Voltemos mais uma vez ao stalinismo e ao nacional-socialismo. Sem dúvida, o stalinismo é uma radicalização da teoria marxista, que mostra todos os pontos de vista igualmente pressupostos pela ciência europeia. O marxismo como teoria seria algo muito elaborado, sem analogia com o nacional-socialismo que, em comparação (e não só na comparação), é primitivo. Com isso, no stalinismo encontramos todas as consequências trazidas pela ciência europeia quando aplicada além do seu campo científico, a saber, a dessubjetivação, o niilismo (como disposição para destruir e reconstruir segundo seu próprio conceito) e o universalismo. Portanto, a indiferença em relação ao ser, ao que é dado, é uma consequência significativa da ciência europeia. Obviamente, essa disposição para modificar as estruturas também é algo positivo, o que significa que não se deve rejeitar a ciência junto com suas más consequências. Todavia, a ciência também pode ocasionar catástrofes quando faltam regulamentos sociais.

Portanto, não é de admirar, mesmo que no fundo seja uma vergonha, que grande parte dos professores e assistentes das universidades alemãs e austríacas tenham seguido o nacional-socialismo. Não se pode negar que houve resistência, mas ela foi mínima em comparação com os muitos que participaram desse movimento. Não digo isso para desacreditar alguém ou para estimular análises posteriores, e sim por causa do ponto de vista estrutural: eram pessoas que passaram as estruturas do pensamento de seu campo de trabalho ao amplo campo do Estado e da sociedade e que depois não foram confrontadas com essa realização realmente brutal ou a ignoraram. A esse respeito, dou um exemplo impressionante. Durante o processo contra Adolf Eichmann em Israel, o acusador lhe perguntou se ele atiraria em seu pai se lhe mandassem. A essa pergunta, Eichmann respondeu que o faria, se lhe dessem boas razões para tal. Por conseguinte, a próxima pergunta do promotor público era evidente, ou seja, quais as razões para o extermínio dos judeus. Ao que Eichmann retrucou que não havia exterminado ninguém. Digna de nota é a estrutura da argumentação: Eichmann está disposto a seguir um modelo genérico e a renunciar às referências empíricas enquanto for possível. Essa é a perda do empirismo, ou melhor, a perda da observação. É também uma das consequências do empirismo elaborado, tal como se encontra na base da ciência europeia: a perda da observação mediante o empirismo dessubjetivante.

Na maioria das vezes, o que se passa no laboratório é inofensivo, mas quando se dá nos campos sociais, é muito mais fácil entender as consequências.

Um estranhamento dos dois sistemas de medicina

O estranhamento em que nos concentraremos agora torna a ciência europeia estranha no contexto da medicina tradicional chinesa (MTC) e, em sentido inverso, faz o mesmo com a MTC no contexto da ciência europeia. A pergunta sobre o caráter científico não pode ser feita no âmbito da MTC, e vice-versa, a pergunta sobre o tipo de conhecimento criado ou representado pela MTC não pode ser feita no contexto da ciência europeia. Ambos os sistemas são incompatíveis. Apesar disso, por meio do estranhamento pode-se contribuir bastante para a compreensão de ambos os sistemas. Estranhamento significa apresentar um sistema de princípios num contexto estranho e observar o que acontece nessa situação. Princípios isolados se tornam absurdos. Os conceitos perdem a clareza; outros perdem o sentido etc.

Observemos as condições da ciência em geral. De acordo com a concepção da ciência europeia (ocidental), essas condições são: 1) a possibilidade de observação e 2) a possibilidade de repetição. Na ciência europeia, o observador é reduzido a mero sujeito. Isto é, nela, o que se almeja é que o observador não tenha particularidades, e esse é o princípio de que tudo depende. O observador não pode ter nenhuma particularidade. Ele precisa observar, mais nada. Para a ciência europeia, a possibilidade de repetir o experimento é importante porque sempre se deve temer que o observador não seja simplesmente o que é. O observador perfeito levaria a possibilidade de repetição *ad absurdum*, e repetições efetivas não precisariam ser feitas. Mas não é esse o caso, pois o observador perfeito é um postulado, e a repetida execução de experimentos com diferentes observadores dão à ciência a certeza de que, em última análise, as peculiaridades dos observadores implicados se neutralizam, produzindo, assim, uma observação pura. A possibilidade de repetição ganha outro sentido quando a pensamos da perspectiva dos chineses.

Na MTC, ao contrário, o observador é sempre interpretado e totalmente adequado. Para os chineses, é totalmente incompreensível que se dê o papel de observador a quem, por assim dizer, é totalmente irresponsável. Pois o observador dessubjetivado realmente é irresponsável em sentido neutro. Por isso se questiona literalmente a responsabilidade dos cientistas quando se discutem as terríveis consequências de muitos trabalhos científicos. Os próprios cientistas gostam de recorrer ao páthos de que tem um compromisso com a verdade e só podem dizer a verdade. Em seu esforço para encontrá-la, não conseguem levar as consequências em conta. Naturalmente, essa é uma atitude insatisfatória.

Desse modo, fica clara uma importante diferença entre a MTC e a medicina ocidental: o que acontece quando o observador é uma pessoa totalmente adequada? Ele se sobressai cada vez mais em relação às pessoas comuns e se torna uma pessoa especial, um mestre. Por isso é tão importante na MTC poder recorrer a um mestre (ou professor). O pano de fundo é justamente a bem fundamentada hipótese de que esse observador não se deixa enganar, de que ele, por assim dizer, é uma "boa pessoa" no sentido dos chineses (o que, no entanto, é apenas uma definição provisória). Durante o processo de estranhamento fica claro o que significa a necessidade de o observador ser uma boa pessoa para tornar-se um bom observador. A repetição é dirigida, instruída. Os aprendizes da MTC repetem as práticas médicas sob a instrução do professor depois do estudo dos textos. O que nos parece um tanto inconveniente é o fato de normalmente não se duvidar do que está nos textos da MTC. Pois, de acordo com a concepção europeia, a maior experiência que um professor ou cientista pode ter é ser contestado. Quando isso acontece (em alto nível), é sinal de que o que ele produziu foi significativo. Poderíamos até dizer que a contestação é esperada. Alguém que não pode ser contestado não pertence à ciência. Isso é singular e constitui a contradição interna da ciência europeia em sua historicidade: o que não é contestável não é científico.

Que ficção cultural oculta-se, então, na ciência ocidental? A ciência funciona sempre que tem determinados pressupostos, as convicções culturais, que são as ficções culturais procuradas. Na ciência europeia existe o pressuposto de que o sujeito que observa ou age está livre de todas as influências, especialmente daquelas culturais. A isenção em relação às influências culturais conduz finalmente ao postulado da isenção em relação à cultura, postulado esse que deve valer tanto para a ciência ocidental, de modo geral, quanto para a medicina ocidental em especial. Nesse sentido, pretendo apenas aludir à confrontação singular da medicina ocidental com as medicinas "étnicas" (entre elas, a MTC, a medicina tibetana, o ayurveda e várias outras), presumindo que, em razão de sua isenção no que se refere à cultura, a medicina ocidental é a única científica. Em minha opinião, deveríamos formular essa ideia da seguinte maneira: a medicina europeia é a medicina étnica da cultura europeia, que é especialmente elaborada. Todo sistema científico depende da cultura e está sujeito a pontos de vista étnicos.

Na medicina chinesa, pressupõe-se que o mestre é um observador perfeito e, desse modo, é exatamente o oposto do que é considerado importante na medicina ocidental: o mestre não é o reflexo puro daquilo que acontece, mas leva a observação à perfeição. Na MTC, a observação é ação em sentido completo. Naturalmente, está claro que ambos os sistemas têm dificuldades quanto a seus princípios. A MTC depara com a dificuldade de não conseguir especificar que qualidades tornam o mestre um observador perfeito.

Na ciência europeia, almeja-se utilizar as características da natureza e fazendo com que ela funcione como uma máquina. Isso acontece da melhor forma quando se quantificam as qualidades. Na história do pensamento do século XX, há um exemplo interessante disso, a saber, a transformação da "história natural" em "biologia". A história natural era uma ciência de observação — de fato, extremamente concreta, mas muito orientada pela figuralidade. A biologia, que se desenvolveu a partir de 1920, é uma ciência bastante quantificada, mas que, por essa razão, perdeu a forma, as qualidades e a clareza. A vantagem é uma manipulação mais exata dos fenômenos e um efeito mais eficiente quando é preciso intervir na natureza. Portanto, a transformação da história natural em biologia é, ao mesmo tempo, um progresso e um retrocesso.

A matemática oferece as melhores possibilidades de quantificação. O famoso princípio de Galileu Galilei de que o livro da natureza está escrito em linguagem matemática subentende que a matemática está na natureza e, mais ainda, que a natureza foi matematicamente construída. Essa máxima de Galilei não deve ser entendida como uma exortação metodológica para entender que os cientistas devem levar a matemática em conta porque ela leva a bons resultados; ao contrário, na realidade essa máxima deve ser entendida como um postulado ontológico.

De acordo com as ficções culturais da MTC, o observador tem de estar mais próximo da perfeição. Segundo o pensamento chinês, isso é possível quando o próprio observador se apresenta como parte da natureza. Ele age e observa na medida em que está envolvido nos processos naturais. A apresentação dos processos da natureza como resultado da observação é possível com a inclusão do observador nos processos naturais. No pensamento chinês, a causalidade é um corpo estranho. Por isso, também é um inacreditável retrocesso metodológico quando, por exemplo, analisamos as ervas chinesas com a farmacologia europeia ou norte-americana, que se baseiam na quantificação e nas relações causais. Diga-se de passagem, também é errôneo, do ponto de vista metodológico, fazer os chamados testes cegos com a MTC.

Conforme mencionado no início deste livro, recentemente usou-se na Alemanha um conhecido teste cego para verificar a eficácia da acupuntura. Havia três grupos de pacientes com problemas nas costas. O primeiro grupo foi tratado com a medicina acadêmica; o segundo, conforme as regras da acupuntura; e o terceiro grupo também recebeu as agulhas da acupuntura, mas não nos pontos corretos (neste último grupo, cometeram-se erros propositais, e os pontos corretos foram "acertados por acaso"). O resultado foi extraordinário: a primeira parte dos resultados já era esperada, pois já se tinha informação sobre a questão: nos casos de problemas nas costas, a acupuntura é muito superior à medicina acadêmica. As diferenças no sucesso do tratamento foram drásticas. No entanto, mesmo no terceiro grupo foram obtidos resultados melhores do que os alcançados com a medicina acadêmica. Esse é o resultado mais surpreendente e talvez o mais divertido, e discutiu-se exaustivamente sobre suas interpretações. Em alguns casos, constatou-se que as pessoas do terceiro grupo foram espetadas perto dos pontos corretos de acupuntura, o que talvez tenha falseado o resultado. Mas não acredito que tenha sido essa a razão principal, e sim que, no âmbito da MTC, não pode haver essa forma de teste cego. Na MTC, o tratamento sempre se realiza mediante o contato entre o sistema de quem trata, ou seja, do prático de cura, e o sistema do doente, contato esse que é produzido com diferentes ações.

Pressupostos básicos da ciência ocidental e da oriental

Vale a pena refletir sobre as diferenças existentes entre os pressupostos da ciência europeia e aqueles da ciência chinesa. O que a ciência europeia tem de pensar para examinar a natureza do modo como a examina? Essa é a pergunta que se faz quando se quer conhecer o pressuposto. Não digo que o estabelecimento do pressuposto seja um ato consciente do cientista. "Pressuposto" significa que a natureza deve ser de determinado modo para que o tratamento do método da ciência seja adequado. Como devemos pensar a natureza para que os métodos da ciência ocidental sejam adequados? Para a ciência europeia, vale o pressuposto de Kant de que a natureza tem estruturas categoriais em sentido geral e de que ela não é destituída de regras. Com isso, a ciência europeia não está provando que a natureza tem leis naturais, e sim que as pressupõe. Este é o único fato que pode aparecer no foco da ciência europeia e que pressupõe o cumprimento de certas regras. Ao menos em parte, esse cumprimento é produzido pelo modo como a pesquisa científica é feita, o que é espantoso. A partir das múltiplas possibilidades oferecidas pela natureza, o modo de proceder com método e com um objetivo definido estabelece uma relação com aquilo que corresponde a determinados modelos matemáticos. Mas não devemos concluir que os modelos matemáticos estão na natureza.

Por conseguinte, a ciência europeia parte da hipótese de que a natureza obedece a regras. Só que existe a crença enganadora (que também pode ser encontrada entre cientistas) de que as regras cumpridas pela natureza não constituem um pressuposto para a pesquisa científica; ao contrário, o êxito científico é que seria a prova da existência das regras. Esse é um erro da argumentação metodológica. A verdade é que, a partir das múltiplas possibilidades que a natureza oferece a uma observação detalhada, são produzidos contextos que correspondem a estruturas matemáticas bem definidas. A natureza não é traiçoeira nem encobre reiteradas vezes uma faceta de si mesma, o que levaria novos esforços científicos a produzir facetas ocultas. A natureza não se modifica quando um novo teorema é formulado. Querer saber se o espaço tem três, quatro ou várias dimensões é fazer uma pergunta bastante tola, pois é errôneo formulá-la desse modo. O espaço apresenta-se da maneira como o estruturamos matematicamente, e as possibilidades de construção são diversas.

O que a ciência chinesa pressupõe como natureza? Formulando-a de maneira mais precisa, nossa pergunta é a seguinte: qual pressuposto da ciência chinesa leva a crer que o envolvimento nos processos da natureza possibilita a observação perfeita? Como podemos afirmar que aquele que se envolve e está em condições de participar dos processos naturais é o cientista e observador adequado? Como resposta temos o fato de que a natureza precisa ser pressuposta como um sistema que cria a si mesmo. De acordo com esse pensamento, a natureza não é orientada por algo externo a ela nem está sujeita a regras; ao contrário, é um sistema que se desenvolve por si. Do ponto de vista ontológico, esse pressuposto é interessante. Ele nos leva quase a acreditar que o êxito da MTC, quando alcançado, baseia-se no fato de essa medicina corresponder efetivamente ao corpo e de que este não pode ser explicado como causa, uma vez que se desenvolve por si só, como uma unidade de corpo e espírito. Não podemos entender essa ideia com nossas estruturas (europeias) de pensamento, que sempre nos levam a querer lançar mão da causalidade de maneira camuflada. Também no caso de doenças psicossomáticas, achamos que a modificação das circunstâncias de vida que se mostram propícias ao surgimento de doenças atuam como causa na recuperação. Esse é um pensamento europeu e errôneo, mas não a ponto de não ser eficaz.

O significado da verdade

De acordo com essas reflexões prévias, a ciência europeia é construída de tal modo que cada construto em funcionamento diz uma verdade sobre a natureza. Essa é a formulação mais cautelosa, pois também na ciência ocidental existe a disposição para discutir abertamente o fato de que as verdades existentes podem ser modificadas ou substituídas por outras. Por essa razão, se fosse crítica, a ciência europeia aceitaria o conceito de *local truth*, que nada mais é do que o fato de a verdade ser dependente do contexto. Mas essa é uma concepção muito sofisticada dessa ciência, que a corrente mediana dos cientistas rejeita, mesmo sem razão. Até mesmo as reflexões de Popper levam, a contragosto, à relativização da verdade. Popper até poderia concordar com a expressão "relativização da verdade", mas com certeza não com a formulação de que a verdade depende do contexto. Foi o que percebi em conversas pessoais com ele, durante as quais pude reunir algumas experiências interessantes. A ciência europeia requer exclusividade e explicações definitivas. Seu dilema é, por um lado, ter de admitir que é histórica e está em constante desenvolvimento; por outro, viver no sonho de que todos os fenômenos e acontecimentos permitem que se chegue a uma explicação definitiva. Raras vezes esse sonho é expressamente mencionado, mas a convicção de que existe uma explicação definitiva continua existindo, pois pertence ao sistema do pensamento europeu.

Em contrapartida, a ciência chinesa afirma que todo princípio verdadeiro sobre a natureza é uma participação em seus processos sistêmicos. Princípios verdadeiros não descrevem a natureza, mas dela participam. Portanto, não cabe aqui o conceito de verdade no sentido europeu. Tampouco se pergunta se o mestre diz a verdade, pois ou ele participa do processo da natureza — o que faz com que ele esteja na verdade —, ou não — e, nesse caso, ele não é um mestre. Desse modo, o termo "verdadeiro" deve ser colocado entre aspas, pois na ciência chinesa descobrimos uma ideia fundamentalmente diferente de verdade. No sistema chinês, os princípios "verdadeiros" mostram uma participação nos processos da natureza, que se realizam quando o ser humano se desenvolve com o sistema da natureza.

Isso acarreta uma consequência extremamente importante: na MTC, a verdade sempre é prática. No âmbito da MTC, não podemos buscar regras éticas; a problemática ética da medicina, como de fato existe na Europa, é totalmente estranha ao sistema da MTC. Isso decorre diretamente do sistema de pensamento da MTC: como o procedimento correto é a participação nos processos sistemáticos da natureza, o médico chinês trata de modo diferente de seu colega europeu. Isso não advém do fato de a MTC não ser invasiva.

O médico europeu faz um diagnóstico e prescreve medicamentos, confiando no efeito causal das substâncias desses medicamentos. Muitas vezes ele só oferece regras de comportamento ao paciente. O médico chinês, ao contrário, coloca-se no sistema corporal específico do paciente e dele toma parte, na medida em que o influencia. A medicina chinesa se destaca por estar aberta a alternativas e não sente necessidade de explicações primordiais. Vale enfatizar que o estranhamento a ser demonstrado pelas estruturas da ciência europeia e da chinesa não coloca um tipo de ciência acima do outro.

A ciência europeia diz que só podemos entender o que construímos. A ciência chinesa, ao contrário, se autodeclara uma verbalização da natureza, ou seja, a natureza ganha voz. Compreende-se, então, por que a posição dos órgãos no corpo não tem importância para a MTC — fato que ainda hoje desperta o riso em muitos médicos europeus. Na visão da MTC, a localização exata é totalmente insignificante.[3] Por certo, isso não quer dizer que a MTC pode ajudar em todos os casos. Pode acontecer de os pacientes não estarem em condições de realizar as modificações sistêmicas solicitadas pelo médico chinês.

A luta contra uma doença não significa melhora da situação corporal

Essas reflexões nos levam a pensar no caráter sistemático de ambos os sistemas de medicina. O da ciência europeia é bastante resistente, portanto, um sistema que não pode ser facilmente destruído, porque apresenta evoluções explicitamente formuladas, que, embora só se refiram à natureza em sentido figurado, têm a vantagem de ser construções matemáticas. O sistema da MTC, ao contrário, é bastante vulnerável: é preciso levar em conta que o tratamento chinês é extremamente falível. Em outras palavras, o que a MTC nos ensina é tão sutil em suas declarações que nas discussões é facilmente derrubado com uma análise intelectual descuidada.

3. Ver o livro de Ted J. Kaptschuk, *Das große Buch der Chinesischen Medizin*. Viena, Otto Wilhelm Barth, 2003.

Assim, quando há um descuido intelectual, é fácil derrubar o que a MTC chama de "empirismo". Mas isso nada diz contra o sistema da MTC, apenas sobre o modo como deveríamos utilizá-lo. Se mantivermos a irreflexão e a ingenuidade das estruturas de pensamento europeias, certamente destruiremos o sistema da MTC.

A medicina europeia é bem-sucedida sempre que se tratar de reorganização e substituição (medicina de implantação). Nesses quesitos, ela é superior à chinesa. Em caso extremo, essa superioridade chega ao transplante de órgãos e à destruição de vírus. A medicina europeia mata bastante — um dilema que Albert Schweitzer formulou certa vez como segue: como médicos, combatemos vírus, mas como cientistas descobrimos pelo microscópio que também os vírus são seres vivos. Para ele, dessa descoberta resultaram problemas éticos. Albert Schweitzer merece respeito, mas eu teria medo de um médico que primeiro precisa pensar eticamente se vai debelar vírus perigosos com antibióticos ou deixar a natureza seguir seu curso. E novamente deparamos com o fosso que nos distancia da MTC. Podemos dizer, de maneira bastante generalizada e superficial, que a MTC deixa a natureza seguir seu curso. O mesmo não se aplica à medicina europeia, pois, se assim fosse, em muitos casos o paciente acabaria morrendo. Há uma piada que ilustra bem a cientificidade da medicina europeia: um homem encontra seu antigo médico e lhe pergunta se ele ainda se lembra dele. O médico nega, então o paciente procura despertar sua memória dizendo que há anos ele lhe apresentou um diagnóstico de que só teria alguns meses de vida. Surpreso, o médico pergunta o que aconteceu, e o paciente responde que trocou de médico. Este enruga a testa e diz: "Ele deve ter dado um tratamento totalmente errado ao senhor".

O objetivo da medicina europeia é modificar a natureza porque, para ela, isso é necessário. Já a MTC sempre tem êxito quando se trata de melhorar os processos do corpo. A MTC melhora, não destrói. Essa diferença oferece a base para a afirmação (que, de resto, não é totalmente certa) de que a medicina europeia é uma medicina de sintomas, ao passo que a MTC é a verdadeira medicina. Todavia, não há dúvida de que, em muitos casos, a medicina europeia combate os sintomas. A medicina chinesa tem o objetivo de manter a natureza em sua multiplicidade. Sempre que a natureza se torna monótona, a pessoa passa a se sentir mal. A doença é expressão de desarmonias no corpo. Quando, ao contrário, se preserva a multiplicidade e se leva em conta tudo o que desempenha um papel na natureza, o ser humano é saudável.

O estabelecimento da MTC no mundo ocidental

Sobre a abertura do campus de MTC em Munique

Como de costume, diz-se que a medicina tradicional chinesa (MTC) não é científica, que ela primeiro teria de ser testada quanto à sua cientificidade e ao seu efeito, entre outras coisas. Defendo aqui a tese contrária. A ciência europeia e, com ela, a medicina europeia (a "medicina acadêmica"), requer muito mais esclarecimento do que a MTC. Explicarei essa tese, que muitos chamariam de ousada, com alguns exemplos.

Medicina tradicional chinesa — por quê, afinal?

Nos anos 1970, foi quase um choque para os teóricos da ciência quando tiveram de admitir a opinião, argumentada de maneira convincente, de que, em muitos aspectos, a ciência ocidental não estava ancorada em bases sólidas. A ciência se apoiava em convicções culturais que, como meras convicções, não podem simplesmente ser aplicadas ao mundo, à efetividade ou às pessoas. Digo isso por experiência própria, pois essa visão teórica me afetou terrivelmente: cheguei a pensar em desistir da filosofia e mudar para uma "ciência natural de verdade", que permite realizar pesquisas sem passar a vida se dedicando a algo tão insensato como a fundamentação teórica da ciência.

O público acadêmico reagiu de duas maneiras a essa visão da limitação cultural da ciência, que, no entanto, não chegou a ganhar terreno entre o público não acadêmico. Em minha opinião, a primeira reação interessante está no que chamamos de "pós-modernismo". Considero o pós-modernismo uma forma de resignação da cultura europeia, pois, embora ele reconheça seu valor histórico, ao mesmo tempo postula sua superação. Para ele, a verdadeira vida estaria além dessa cultura. Não me considero um autor pós-moderno, mas me vejo como um racionalista (o que ainda irei explicar com mais detalhes). Com essa reação surgiram as medicinas alternativas como uma espécie de romantismo social. Conheço muitas pessoas que aderiram e continuam aderindo à MTC com essa motivação, estimuladas pela ideia de que se trata de algo exótico, novo e diferente. No entanto, é natural que a frustração com a medicina acadêmica tenha contribuído para isso, já que nem sempre ela apresenta efeitos convincentes. Todavia, não considero essa reação como o caminho correto para a MTC. E certamente não é o caminho dessa universidade, a primeira instituição particular de ensino de MTC na Europa. Ela não surgiu da decepção que ultrapassa a Europa nem das esperanças ilusórias que são alimentadas por uma cultura estrangeira e incompreendida.

A outra reação à visão teórica estava justamente em se retirar da teoria científica e direcionar-se para a ciência (da natureza). Os colegas que tomaram esse caminho não consideram a MTC uma ciência. Cobravam testes precisos, boas estatísticas, computadores de alto desempenho, entre outras coisas, como comprovação. A medicina acadêmica é considerada o único método legítimo de tratamento e é vista como a aplicação da biologia científica aos seres humanos. Naturalmente, a biologia científica é interessante; disso não há dúvida. Porém, ela é uma ciência com todas as limitações que aprendemos a conhecer nas três últimas décadas. Como em toda ciência, também na biologia os modelos que dependem da cultura são transferidos para o mundo. Por essa razão, a biologia não pode valer como uma ciência "universal", e sim apenas como ciência europeia. Essa é a primeira argumentação que se faz ouvir como crítica contrária. Quanto à segunda reação, formulo uma tese de peso: a de que a compreensão da medicina como ciência aplicada é um mal-entendido grosseiro. À primeira vista, isso pode causar surpresa, pois a tese da medicina como ciência aplicada é bastante difundida. Porém, como todo paciente sabe, a medicina é mais do que a mera aplicação do conhecimento em um corpo. E, em minha opinião, a prática da medicina como simples aplicação da biologia é questionável (embora, naturalmente, eu admita que a medicina acadêmica registre muitos êxitos, cujo pano de fundo teórico explicarei brevemente).

Por um lado, as visões teóricas da limitação cultural da ciência, que a certeza inabalável da ciência europeia questiona, levaram à ilusão dos pós-modernos e, por outro, à abnegação e à tentativa de enganar a si mesmo. Escolhi um terceiro caminho e desenvolvi uma nova metodologia, o "estranhamento", processo que se assemelha a um reflexo: um reflexo da nossa cultura do ponto de vista de outra cultura. Nos anos 1980, descobri a grande importância das outras formas estruturais da cultura chinesa que possibilitam uma análise da própria cultura europeia. Essa análise pode ser descrita com algumas palavras-chave: a ideia do mundo ocidental influenciado pelo monoteísmo (tanto o cristianismo quanto o islamismo), a criação do mundo, o mundo baseado na racionalidade (o mundo tem estruturas que o tornam claro e inteligível). Esses são pressupostos ocidentais. Podemos imaginar um mundo que seja totalmente diferente. Por exemplo, um mundo que sempre flui, em que tudo está interligado, em que não há universalidade nem causalidade. E justamente essa concepção de um mundo diferente é a que nos oferece a cultura chinesa! O mundo chinês é totalmente diferente do ocidental. Meu interesse pela cultura chinesa e pela visão chinesa do mundo nunca foi guiado pelo abandono (ou pelo desprendimento) do mundo ocidental. Ao contrário. Estudo a cultura chinesa pensando em entender melhor a cultura europeia através da chinesa. E, partindo do mesmo exercício de reflexão, desenvolvi teorias da ciência que demonstram as limitações e as condições da cientificidade da ciência europeia. Portanto, não pertenço aos pós-modernos, que negam tudo valendo-se do lema "anything goes". Tampouco sigo o princípio de fazer tudo de maneira diferente. Não se deve subdeterminar ou negar a pretensão de verdade da ciência ocidental, uma pretensão que só existe sob determinadas condições.

Medicina tradicional chinesa ou medicina ocidental — ou ambas?

Para a medicina, essas condições podem ser formuladas da seguinte maneira: quando um problema for passível de redução — isso sem levar em conta as relações, as qualidades e características em sua plenitude no mundo da vida e ele se puder ser reduzido a poucas relações, qualidades e características —, a ciência europeia é forte e, por conseguinte, também a medicina. A medicina acadêmica é forte no campo das próteses ou da cirurgia, mas é fraca naquele das doenças crônicas. Nela são oferecidos tratamentos extremamente caros e demorados, além de pouco eficazes. Além disso, a medicina acadêmica é fraca em todas as áreas em que a psique desempenha um papel (no campo psicossomático). Apesar de todos os esforços, essa área continua incompreensível para a medicina acadêmica. A razão disso está no pressuposto ocidental da dicotomia entre corpo e espírito e entre aquém e além — um tema ao qual são dedicadas inúmeras publicações. Essa dicotomia vem acompanhada de outra dificuldade: a de que, na maioria dos casos, o campo do psiquismo (quando é o caso) é percebido pela medicina como se o espiritual e o anímico formassem um "quase corpo" — não um corpo que atua de modo efetivamente causal, mas que, "de algum modo", "existe" e, entre outras coisas, pode ser localizado. Nessas suposições existe um erro categorial, que naturalmente se manifesta como falta de êxito no tratamento das doenças. E essas reflexões não se referem unicamente às doenças psicossomáticas clássicas. Por exemplo, atualmente há argumentos fidedignos de que o câncer tem um forte componente psicossomático. Isso nos permite reconhecer como é importante tentar entender outro sistema de raciocínio.

Ao contrário da medicina ocidental, a MTC não é reducionista. Ela não localiza, não reduz nem estabelece nada. É simplesmente uma medicina voltada ao curso da vida, que visa corrigir uma trajetória de vida mal desenvolvida e cria relações nas quais no mundo ocidental não se presta muita atenção: relações com unidades mundiais e holísticas, no sentido de um holismo preexistente. Quando a tradição do pensamento europeu é tratada do ponto de vista do holismo, este é introduzido posteriormente, pois primeiro é analisado.

Isso corresponde ao modo ocidental de pensar que aprendemos: no início, consideram-se os detalhes; em seguida, criam-se ligações entre eles e, por fim (eventualmente), se pergunta sobre uma relação holística. Portanto, em minha opinião, é importante que no tratamento haja uma cooperação entre a MTC e a medicina acadêmica. Seria um erro confiar totalmente numa das duas. Para usar de total franqueza, há muitas situações em que uma precisa da outra porque ela é melhor.

A união de diferentes culturas

A fundação de uma universidade de MTC é um dia de muita alegria sob vários pontos de vista. Em primeiro lugar, estamos experimentando algo extremamente raro, que é o fato de a ciência, que está sempre à frente, às vezes ser alcançada pela política. Tivemos a oportunidade de observar em Viena que a política chegou aonde a ciência há muito espera por ela. E agora é possível ver isso também em Munique. E estamos experimentando outro fato com uma dimensão maior. Hoje alcançamos um ponto de transição, um tempo de mudança, uma época de completa reorganização de nosso mundo. Nos próximos anos e nas próximas décadas se decidirá se estaremos em condições de viver com diferentes culturas e de integrá-las à nossa vida ou se — como um conhecido autor norte-americano recomendou a seu presidente — vamos lutar contra outras culturas e arruiná-las para que a cultura euro-americana exerça seu domínio mundial. Contudo, se analisarmos a política atual, somos levados a crer que esse domínio não funciona, não pode funcionar. Ele seria uma ilusão de pessoas ingênuas que refletem pouco.

Portanto, temos a oportunidade de aprender em detalhes o que é importante para o mundo: a integração das culturas (integração no sentido de que uma se torne compreensível à outra). Pelo que minha experiência me ensinou, esse tipo de integração funciona muito bem na China. Em muitos hospitais chineses, aos quais fui levado por meu trabalho de pesquisa, o tratamento é feito tanto segundo a MTC quanto segundo a medicina ocidental (pela qual, aliás, os chineses sentem grande admiração). Sem grande alarde, o médico da MTC manda os pacientes para os médicos com formação ocidental e vice-versa. Considero isso uma força da cultura chinesa, a força da assimilação, que deveríamos adquirir e praticar um pouco.

Por ocasião da fundação dessa universidade, vale lembrar que pesquisar a MTC com métodos ocidentais significa arruiná-la. Se a reduzirmos aos mecanismos da causalidade e a outros princípios da análise ocidental, estaremos promovendo sua destruição. Nessas circunstâncias de estudo, a MTC se transformaria num feixe de sugestões parcialmente peculiares. Talvez ficássemos com excertos da farmacologia ou com outras partes da MTC, mas o espírito dessa medicina se perderia. De fato, esse é um perigo real que também é visto na China. Há dois anos discuti esse tema num grande congresso de MTC em Hong Kong com médicos ocidentais e médicos chineses de grande importância. Como podemos pesquisar a medicina chinesa de modo crítico científico sem submetê-la a uma metodologia que significaria sua ruína? Para esclarecer esse problema com uma metáfora, podemos dizer que é impossível estudar os processos do universo com um telescópio comum. Igualmente impossível é a descrição de processos subatômicos com um microscópio comum. Todo tipo de estruturação do mundo exige outra forma de metodologia, e a MTC baseia-se justamente numa forma bastante diferente de metodologia. Por isso, é muito importante que em Munique ela seja pesquisada oficialmente e de maneira adequada a uma instituição.

Nesse sentido, desejo boa sorte à nova universidade de MTC e espero que em breve possamos abrir o próximo *campus*.

Pensamento analítico e sistêmico na medicina

Quando usamos os costumeiros chavões, como "medicina suave" ou "holismo", para comparar a medicina acadêmica à medicina chinesa (MTC), vemos que eles são insuficientes. Na verdade, os chavões dizem muito pouco sobre as características estruturais desse sistema, chegando até a encobri-las. Algo semelhante acontece na leitura dos textos de Lao-tsé e Confúcio, em que não devemos cair na falácia de querer captar os pensamentos logo de saída; muito pelo contrário, devemos partir do pressuposto de que, a princípio, não percebemos o sentido dos textos porque neles incluímos convicções culturais que não desempenham nenhum papel para esses autores.

O fascinante na MTC e, sobretudo, na cultura chinesa, é que elas permitem outro olhar para o mundo, além daquele da perspectiva europeia ao qual estamos acostumados. Muito do que é evidente para nós não desempenha nenhuma função na MTC. Naturalmente, isso acarreta uma consequência filosófica: temos de nos acostumar à ideia de que talvez o mundo real seja bem diferente do que imaginamos e de que a ciência ocidental não é capaz de descobrir tudo o que é essencial sobre o mundo. No entanto, o pensamento sobre uma visão definitiva é um equívoco comum, uma total insensatez, pois, nesse caso, a ciência deixa de ser compreendida em sua estrutura. A ciência europeia não tem fim por razões estruturais e, consequentemente, nunca transmitirá o conhecimento definitivo. Naturalmente, é interessante constatar que, em primeiro lugar, a MTC é mais versátil do que pensamos e, em segundo, que entre ela e a medicina acadêmica há muitas semelhanças. Contudo, não devemos nos deixar enganar por formulações, pois "semelhante" não significa "igual". É melhor evitarmos uma equiparação de ambos os sistemas de medicina e, em vez disso, esforçarmo-nos para confrontá-los e classificá-los por tipos.

A compreensão de textos da medicina tradicional chinesa

Eu gostaria agora de dar uma ideia de como os textos de MTC podem ser compreendidos. A maioria das pessoas que leem os livros de MTC não os compreende (mesmo que estejam traduzidos; não me refiro aqui ao desconhecimento da língua chinesa). Assim, nos países de língua alemã, há um conhecido historiador de MTC, cujo nome não menciono por razões éticas, que tem um profundo conhecimento sobre o assunto e escreveu vários livros a respeito, mas que, no fundo, não compreende o que é MTC. Reconhecer isso foi uma experiência fundamental para mim. Contudo, não basta simplesmente folhear os textos. É preciso pensar o que significa aplicá-los na prática da medicina. O que eles querem dizer e qual a diferença em relação a nosso modo de proceder? Essa questão é da maior importância, pois só conseguimos aprender com as diferenças. Não aprendemos com a equiparação, pois esta encobre os questionamentos. A tentativa de encontrar na medicina ocidental o mesmo que na oriental anula as diferenças estruturais, e aquilo que tem uma semelhança superficial é identificado sem muitos preâmbulos. Por certo, em comparação com a descoberta de diferenças e divergências estruturais, a equiparação é o procedimento mais simples, mas infelizmente sujeito a falhas, como costuma acontecer. A simplicidade não é critério para uma reflexão bem-sucedida. Diferenças estruturais e centrais entre a medicina acadêmica e a MTC estão no fato de que esta, em sua atividade de ensino, segue o princípio do mestre, que se distingue do princípio do ensino no sentido ocidental. Além disso, na MTC o diagnóstico não é excludente (como se pratica na medicina ocidental), e sim um diagnóstico que analisa os processos referindo-se retroativamente ao processo da vida.

Vale a pena nos aprofundarmos nos aspectos secundários, que são indispensáveis para uma comparação estrutural, e voltarmos nossa atenção primeiro para aquilo que a ciência ocidental ensina sobre o mundo. Nesse sentido, é preciso distinguir dois pontos.

Métodos para a abstração na ciência

A ciência não descreve o mundo, mas reduz a multiplicidade de informações a modelos que são então unidos uns aos outros e descritos. Portanto, a ciência descreve seus sistemas, que, por sua vez, representam um trabalho de abstração. Ao renunciar a inúmeras alternativas possíveis de projetos de modelos ou de explicações do mundo com seu trabalho inicial de abstração, a ciência oferece a possibilidade de ver como o mundo poderia funcionar. Ela sempre procede de modo reducionista. O êxito da ciência ocidental reside no fato de que, ao longo dos séculos, ela aprendeu quais informações podem ser deixadas de lado para captar sistemas que funcionem. Essa também é a razão pela qual a ciência nunca chegará a uma descrição definitiva do mundo ou, em outras palavras, por que o livro da natureza nunca será lido até o final.

O pensamento essencial por trás desse ponto de vista diz que nenhuma concepção do mundo se sustenta sem o critério que determina um olhar em perspectiva do mundo. Aceitar um critério é algo que não depende muito do livre-arbítrio do indivíduo, mas o fato é que devemos esquecer as opiniões que assumimos acerca do mundo se quisermos realizar uma abstração bem-sucedida. O ponto de vista adotado estabelece a concepção do mundo tanto no mundo da vida quanto na ciência. Em outras palavras, as convicções culturais são o terreno no qual acontece a abstração. Concebemos o mundo sempre da perspectiva de determinadas convicções e determinados pressupostos culturais. Portanto, o mundo da vida é uma concepção (pré-científica) do mundo, em que o mundo é interpretado da perspectiva de determinadas convicções culturais (o que corresponde a um processo de abstração).

O significado de uma perspectiva livremente escolhida e culturalmente estabelecida

Os mundos da vida são aquelas convicções do mundo que formamos para podermos lidar com ele. Ao mundo da vida dos ocidentais pertence, por exemplo, a crença na existência de um universo. Desse modo, existe, em princípio, a possibilidade de "observar" o universo. Esse "em princípio" é importante aqui, pois naturalmente nenhuma pessoa pode realmente ter uma visão geral do universo, uma vez que todo ser vivo tem uma perspectiva limitada. Contudo, a afirmação de que a observação "em princípio" é possível continua existindo. Esse pensamento, que depende da cultura, não existe da mesma maneira na cultura chinesa. O universo observável é um pensamento que pode ser referido ao platonismo e à interpretação cristã que dele se faz. Por trás disso, existe a convicção de que o mundo obedece a regularidades — uma convicção que se originou na filosofia europeia, em primeiro lugar com Platão, e encontrou sua mais elevada e aguçada formulação em Descartes; depois disso, ficou um tempo esquecida e finalmente recebeu novas honras com Kant. Explicar o todo é uma convicção que depende da cultura, sendo que a cultura da qual depende essa convicção é a europeia. Sem essa convicção, a ciência europeia não funcionaria.

Devemos considerar que as culturas não são prisões em que se é obrigado a olhar apenas para uma direção. Elas são, antes, sistemas vivos que, embora determinem a direção para a qual devemos olhar, não a impõem. Quanto ao olhar voltado para o todo e entendido como pressuposto cultural da ciência, na Europa, o método, ou melhor, o processo pelo qual se chega aos conceitos uniu-se, por exemplo, ao conceito de doença. Desde que a medicina ocidental se anexou às ciências naturais (antes não era o que acontecia, o que explica as semelhanças entre a medicina dos antigos e a MTC), ela se destaca por constatações analítico-conceituais perspicazes, que funcionam por meio de exclusões. Definir significa excluir o que não entra na definição, isto é, a definição traça uma linha de separação exata. Esse é um procedimento totalmente contrário ao modo de pensar dos chineses, que é inclusivo e entende as entidades a partir do todo — a partir dos processos nos quais as entidades são inseridas e a partir das ações das pessoas que nelas são integradas. Esse pensamento deve ser definido como holístico no sentido próprio do termo. No sentido europeu, holismo é, antes, o que é separado primeiro e depois recomposto. Mas no pensamento chinês isso não acontece. Nele, o individual não pode ser concebido sem o todo, o que também inclui quem lida com a questão. Um belo exemplo é o da Montanha Sagrada na China. Enquanto os ocidentais preferem deixar um lugar sagrado o mais intocado possível, os chineses constroem escadas na montanha, pois dela faz parte a construção de degraus. Uma montanha sem escadas é uma natureza pensada de maneira abstrata, como é típico na Europa, mas muito atípico na China. Para os chineses, a elaboração da natureza pertence à natureza.

Abstração, construção, efetividade e realidade

Elaborei essas análises da estrutura da ciência europeia como a teoria científica do *realismo construtivo* introduzindo uma diferença importante: para uma compreensão adequada da ciência, deve-se fazer uma distinção entre "efetividade" — o mundo com o qual e no qual vivemos — e "realidade" — o mundo que a ciência abstrai da efetividade. Portanto, a realidade é o resultado da construção científica, e os dados que compõem o material para as construções são adquiridos por meio de um processo de abstração da efetividade. Efetividade e realidade não são nem nunca serão idênticas. Querer especular se a realidade está mais perto ou mais distante da efetividade é pura tolice. Existem pontos claros de contato — muito do que é absolutamente contra a efetividade a repele; mas o que ainda existe de informações ou de reações possíveis na efetividade é um programa para o futuro que nunca poderá ser totalmente resolvido, pois a pesquisa é sempre uma redução a um número visível de características e informações. Por isso, a ciência nunca transmitirá todo o conhecimento. Ela renuncia a muita coisa para manter um sistema em funcionamento, e quanto maior for a renúncia, tanto mais belo será o sistema. Por essa razão, a física clássica possui sistemas tão incríveis: a mecânica de Newton, ao lado da lógica clássica (que não tem nenhum ponto de contato com a efetividade), é o que de mais belo se pode imaginar. Uso a palavra "belo" intencionalmente, pois a abstração e a construção apagaram todas as impurezas que surgem na vida cotidiana e que se manifestam quando algo subitamente se comporta de modo diferente do esperado. Quanto menos uma ciência natural for reduzida e, portanto, quanto menos for poluída, tanto mais próximo se chega da verdade. Por definição, nunca se poderá vencer a distância até a verdade.

Dessas determinações da ciência pode-se tirar a seguinte conclusão relevante para uma medicina orientada pelas ciências naturais (portanto, a medicina acadêmica de caráter ocidental): a medicina trata a realidade, não a efetividade. Por isso, sempre temos de contar com a possibilidade do fracasso, isto é, a realidade tratada faz modificações que se manifestam na melhora do indivíduo, porque momentaneamente determinadas doenças não têm efeito. Mas o que aconteceu com a verdade continua totalmente no escuro. Por isso, a medicina acadêmica é boa quando se concentra em campos claramente definidos, por exemplo, na cirurgia ou em todas as medicinas de implante. O que a medicina acadêmica oferece nesses casos é irrenunciável, pois nenhum outro sistema médico faz a mesma oferta. No entanto, em todo lugar onde se trata da evolução de processos (por exemplo, em doenças crônicas), a MTC é inegavelmente superior.

Passamos da análise da ciência (europeia) para a medicina acadêmica e, com base nas reflexões a respeito da teoria da ciência, pudemos nomear as vantagens e desvantagens da medicina acadêmica. Tomemos dois aspectos relevantes que, do ponto de vista estrutural, são de importância decisiva para a MTC: lidar com contradições e pensar em sistemas. Na Europa, foi necessário aparecer um grande filósofo, precisamente Hegel, que, usando de uma acrobacia linguística (em minha opinião) conseguiu lidar com a contradição. Mas quando queremos realmente entender os textos chineses, temos de saber que os chineses sempre cultivaram uma relação sem atritos com a contradição. Há milênios eles fazem o que na Europa é incompreensível para a maioria, mesmo com o máximo esforço intelectual. Algo semelhante vale para lidar com o pensamento em sistemas. Durante muito tempo, os teóricos de sistemas foram excluídos das universidades europeias. Na China, a teoria dos sistemas foi festejada desde o início. Em 1934/35, Norbert Wiener trabalhou como professor convidado na Universidade de Tsingua, em Pequim, e fez muito sucesso. Eu mesmo tive essa experiência quando minha concepção sistemático-teórica do realismo construtivo não deparou com nenhum problema de compreensão na China, muito diferente do que aconteceu tanto nos Estados Unidos como na Europa.

"O mundo inteiro em um único osso"

Tal como as ciências naturais europeias de modo geral, a medicina acadêmica parte do primado do conhecimento: com base no conhecimento da efetividade (no caso da medicina, trata-se do diagnóstico), pode-se decidir o que fazer. O conhecimento fornece a diretriz para o comportamento. A MTC está submetida ao primado da ação e sempre praticou o que recentemente foi introduzido na medicina acadêmica, tornando-se célebre: a medicina baseada em evidências. Esse tipo de medicina é uma maneira de compensar os déficits da acadêmica em relação à MTC — o que implica grandes dificuldades. Um problema que impede que a MTC seja considerada resolvida está no seguinte questionamento: como lidar com os casos isolados e como lançar a ponte para as afirmações gerais? Com efeito, na ciência ocidental não se pode trabalhar exclusivamente com a análise de casos, pois, de acordo com os critérios europeus, esse estilo de trabalho não levaria ao conhecimento. Por outro lado, justamente na medicina não se pode renunciar à análise dos casos. Como então formular essa análise de maneira que ela preencha os padrões para o conhecimento no sentido europeu?

A MTC sempre foi orientada individualmente sob o primado do homem; sempre se orientou pelo caso, pois nele tudo se reflete: o reflexo de todo o mundo num osso é uma ideia chinesa que nos parece um pouco romântica. Mas esse posicionamento metódico permite que se chegue ao caso individual e se renuncie a explicações teóricas, portanto, a hipóteses de como esse caso poderia ser classificado nas afirmações gerais da ciência. No que se refere à realidade (entendida do ponto de vista do realismo construtivo), a MTC pratica o que poderíamos chamar de "ação integrada": a ação está sempre integrada à realidade.

Por isso, o médico chinês é confrontado com problemas de decisão diferentes dos enfrentados pelo médico ocidental. Este começa por suspender a ação, porque em primeiro lugar ele tem de conhecer. A medicina acadêmica leva a um adiamento da ação até o momento posterior ao diagnóstico. E é justamente essa sequência o que muitas vezes traz problemas para a medicina. Desse modo, o homem ocidental sempre fica feliz quando encontra um médico que consegue deixar seu conhecimento científico de lado e o trata com uma espécie de intuição. Por "intuição" não entendo um conhecimento verdadeiro, e sim uma suspensão de informações e métodos por um curto período, a fim de evitar o reducionismo da ciência. A intuição não é um conhecimento especial nem uma visão superior, como costuma ser definida nos textos esotéricos. Ao contrário, ela leva aquele que sabe usá-la a conhecimentos interessantes, porque elimina com astúcia o reducionismo da ciência. Vale lembrar que, para o médico ocidental, às vezes é melhor não conhecer todas as teorias. Todavia, isso não passaria de cinismo, pois significaria que ele deixa de considerar muitos diagnósticos possíveis. A ação intuitiva de que falo aqui não deve ser um discurso de defesa para o diletantismo, pois o médico que age intuitivamente (e isso eu defendo) só age assim no início. Por certo, em seguida ele faz um diagnóstico à altura das teorias.

A medicina tradicional chinesa corre perigo

A MTC é uma ciência ameaçada e, paradoxalmente, mais na China do que na Europa. A crescente ocidentalização da China tem feito com que os verdadeiros campos condicionados pela cultura chinesa sejam subestimados. Por exemplo, a pesquisa. Há seis universidades de MTC na China, que em parte são muito grandes e muito boas, mas todas elas são pressionadas a usar métodos ocidentais, o que pode levar à destruição da MTC. Sem querer aqui incorrer numa maldade filosófica, do ponto de vista da teoria científica pode-se constatar que a medicina ocidental apresenta um nível baixo. Ela trabalha principalmente com estatísticas, o que é somente o primeiro degrau do trabalho científico. O importante é chegar a explicações que valham além da estatística e informem por que determinados fenômenos surgem e outros, não. Essas tentativas estatísticas na pesquisa médica também são empreendidas em maior medida pelos chineses na pesquisa da MTC.

Por certo, a acupuntura pode ser pesquisada do ponto de vista estatístico, pois não é totalmente sem sentido observar em que situações ela funciona ou não. Porém, apesar de não se poder negar o sentido por completo, essa estratégia de pesquisa impede-nos de enxergar o que a acupuntura é de fato. A esse respeito, vale a pena refletir sobre o seguinte exemplo: muitas vezes se constata com surpresa que, quando o acupunturista erra apenas por um milímetro o lugar do ponto, possivelmente um sistema totalmente diferente é atingido. Mas essa reflexão resulta de um equívoco a respeito do sistema de meridianos, que é tomado num sentido ocidental e interpretado em sintonia com a neurologia. No entanto, o sistema de meridianos não é o sistema neurológico, e sim — para empregar novamente um termo ocidental — um sistema de informação do corpo, e a acupuntura é um procedimento que — para usar as ideias de Humberto Maturana — transmite informações ao causar deformações no corpo.

A acupuntura faz com que o sistema corporal se reorganize, porque determinadas deformações surgem com as punções da agulha. Trata-se de uma forma de transmissão de informações e, por conseguinte, também de um acontecimento pessoal entre o médico e o paciente; nesse sentido, ela não pode ser realizada mecanicamente por computador. Se se tratasse realmente de atingir o ponto exato com precisão milimétrica, estaríamos mais aparelhados com um instrumento computadorizado. Mas essa sugestão só surge quando não temos o conhecimento adequado da MTC e de seu modo de pensar, que se baseia no sistema, não na análise ou na definição.

O que podemos fazer pela MTC na pesquisa? Da resposta a essa pergunta provavelmente depende a sobrevivência desse sistema de medicina. Podem ser feitas duas coisas: uma delas é pesquisar sobre como lidar com a transmissão de informações (compreendidas na visão que se tem do sistema, seguindo, por exemplo, Maturana). A outra é pesquisar a farmacologia, que se ocupa da importância de diferentes plantas para o sistema. Como Andreas Bayer sempre torna a constatar, a farmacologia chinesa é a menos compreendida no Ocidente, uma vez que fortes interesses econômicos estão por trás da manutenção da farmacologia ocidental. Contudo, se analisarmos a terapia herbal – portanto, a fitoterapia, que não é muito simples de ser transmitida à medicina acadêmica – com os recursos da farmacologia ocidental, a farmacologia chinesa acaba sendo minada em sua estrutura. Embora determinados extratos de ervas chinesas também sejam obtidos em laboratórios ocidentais segundo os métodos das ciências naturais, provando que seus efeitos realmente têm condições de diminuir o sofrimento ou curá-lo, como um todo, esse modo de proceder com a fitoterapia chinesa acaba por destruir seu sistema. Pois a fitoterapia também faz com que o sistema do corpo se reorganize até diminuir o sofrimento ou curá-lo. Isso quer dizer que as ervas chinesas atuam não de maneira causal, mas sistêmica, o que é bem diferente do que ocorre em relação às substâncias da farmacologia ocidental.

Só poderemos aceitar essas ideias quando também estivermos dispostos a aceitar que existem diferentes possibilidades de verdade. A aceitação do segundo ponto é difícil, porque na Europa existe a concepção de que, relativamente a um objeto ou um acontecimento, apenas uma proposição pode ser verdadeira ou, em termos mais exatos, uma proposição e o seu contrário não podem ser simultaneamente verdadeiros. O realismo construtivo defende a tese de que a verdade depende das condições de sua obtenção. As condições para se obter a verdade nas ciências naturais são os métodos usados, e uma proposição só é verdadeira do ponto de vista destes — de fato, quando se usa o mesmo método, uma afirmação e seu contrário não podem ser verdadeiros ao mesmo tempo. Contudo, diferentes métodos podem levar a proposições que se excluem mutuamente e, quando relacionadas aos métodos de sua geração, são ambas verdadeiras. Consequentemente, deveria ser possível aceitar que existem uma farmacologia ocidentalmente orientada e outra orientada sistemicamente no sentido da MTC.

Ao contrário da medicina ocidental, a MTC aponta para o horizonte da reflexão — para usarmos a terminologia ocidental. Naturalmente, todos aqueles que fizerem uso da MTC podem ter êxito, mesmo que não estejam preparados para entender o pano de fundo cultural e o pensamento sistêmico da MTC. E o que há de belo e especial na medicina é justamente o fato de ela oferecer tantas possibilidades de tratamento e êxito médico. No entanto, quem não tiver o entendimento adequado da MTC não conseguirá gozar de seus frutos nem de suas verdadeiras vantagens. Estas consistem no fato de os sistemas do corpo e da alma — como dizemos no Ocidente — estarem unidos. Com a MTC podemos fugir das dicotomias às quais estamos acostumados e que muitas vezes paralisam o pensamento. Basta pensar que, depois de mais de cem anos, a psicologia ainda não constitui uma ciência no verdadeiro sentido do termo, e que também a psiquiatria tateia no escuro. Em contrapartida, há que se constatar com satisfação quantos problemas psíquicos são tratados no âmbito da MTC, também mediante a fitoterapia. Não se pode imaginar essa terapia do modo como se costuma fazer na medicina ocidental, ou seja, como diria Wittgenstein, achando que o "chá de ervas" acalma. E é difícil para nós, ocidentais, não pensar assim, pois, nesse caso, convicções culturais nas quais fomos treinados desde crianças acabam encontrando aplicação. Em conceitos sistêmicos, a fitoterapia obriga o sistema corporal a se reorganizar e, assim, atua nos sistemas psíquico e mental.

Com a MTC temos não apenas um sistema de medicina eficaz, que pode curar as pessoas. Salientar as convicções culturais por trás dela também significa questionar os truísmos ocidentais. Desse modo, a MTC tem duplo valor.

Teses sobre a cientificidade da MTC

O mau uso da MTC no mundo ocidental

Normalmente, a exigência de cientificidade é apresentada em dois contextos: (i) nas discussões sobre a política profissional e (ii) quando se opõe resistência ao mau uso ou ao diletantismo. No que se refere à MTC no mundo ocidental, o segundo contexto é especialmente importante e representa o principal argumento para a formulação do questionamento da teoria da ciência sobre a cientificidade da MTC. Como tese, vale dizer que, por um lado, o mau uso da MTC no mundo ocidental se deve à oferta inferior de sua sistemática (por exemplo, no tratamento segundo um catálogo de sintomas e remédios) e, por outro, à aplicação de falsos métodos na MTC, como a avaliação de remédios dessa medicina com base em análises que obedecem aos padrões das ciências naturais ocidentais. Sem o esclarecimento do pano de fundo científico, não é possível compreender por que falar de mau uso da MTC.

Compreensão e conhecimento estrutural na ciência ocidental

A comparação entre a cientificidade da medicina ocidental e a da MTC mostra-se difícil porque um mero confronto de ambos os sistemas de medicina consiste num erro metodológico. De fato, termos de igual teor (como "experiência") têm conteúdos conceituais muito diferentes. Por isso, uma comparação só é possível com o uso de determinado método que inicialmente exponha a estrutura dos pressupostos da ciência ocidental. De acordo com as convicções do senso comum, as ciências naturais descrevem a natureza, e essa descrição (logicamente na terminologia científica especializada) se mostra verdadeira ou falsa conforme os prognósticos obtidos a partir dela se realizem ou não, o que, segundo a teoria científica clássica (Círculo de Viena), corresponde ao processo da verificação. A pesquisa da teoria científica moderna mostrou que a primeira (a tese da descrição do mundo) é falsa e a segunda (a verificação dos princípios científicos) contradiz a exigência das ciências naturais. De fato, descrições alternativas do mundo podem igualmente ser validadas de maneira bem convincente. Em outras palavras, sistemas de princípios que se contradizem mutuamente levam a êxitos de prognóstico. Disso se pode concluir que não é o resultado de um prognóstico científico que leva ao conhecimento; por conseguinte, uma teoria científica construída com base na verificação está construída sobre areia. A moderna teoria científica, que deve ser atribuída ao realismo construtivo, apresenta a tese de que o conhecimento exige compreensão estrutural, portanto, compreensão da relação entre sujeito e objeto — isso vale apenas para a ciência ocidental. A relação sujeito-objeto é concebida de forma diferente na MTC.

Eficiência *versus* espiritualidade

A estrutura de pressupostos das ciências ocidentais é determinada por uma determinação cultural precoce na Europa: a confrontação abstrata entre sujeito e objeto. Essa confrontação tem consequências graves para a ciência europeia e estabelece as diferenças fundamentais em relação à ciência chinesa. Do ponto de vista histórico-cultural, a abordagem de Aristóteles sobre a ciência chinesa está muito mais próxima daquela feita por Newton, Galileu etc. O preço que a ciência europeia paga por sua eficiência tecnocrática é a renúncia à contemplação holística do mundo e à orientação pragmática.

Da confrontação entre sujeito e objeto resulta a maioria das características estruturais da ciência ocidental, que são totalmente estranhas à MTC (ao menos em sua abordagem original): a estrutura social-democrática, a experiência com o objetivo da universalização abstrata e a melhoria do mundo como objetivo implícito. Isso leva a problemas particulares na ciência ocidental, em geral, e na medicina das ciências naturais, em particular, o que faz com que esta última se reaproxime da MTC: a questão da verdade das afirmações científicas precisa recorrer ao mundo da vida; a separação entre ser e dever ser conduziu às aporias dos conceitos de doença; e a espiritualidade continua amplamente incompreendida na medicina ocidental.

Estrutura e conceitos da ciência chinesa

A ciência tradicional chinesa não conhece uma separação abstrata entre sujeito e objeto, visto que desde o início tem uma estrutura pragmática, isto é, do ponto de vista ocidental, parece, antes de tudo, apenas um aprimoramento ou uma sistematização do trabalho artesanal. Isso leva muitos teóricos da ciência ocidental à convicção de que a ciência chinesa e, portanto, a MTC, não são ciências. Segundo os novos conhecimentos da teoria científica, isso é insustentável. Pois, como já indicamos acima, a ciência ocidental também pede um retorno ao mundo da vida, caso queira satisfazer sua pretensão de transmitir conhecimento. Assim, em comparação com a MTC, a ciência ocidental apresenta um desvio metodológico: ao sistematizar experiências, a MTC sofre uma redução não com universalismo abstrato, e sim com a interpretação das estruturas do mundo da vida. Isso certamente exige outro conceito de "experiência". Nesse caso, podemos falar de "experiência intrínseca", isto é, não se apresenta nenhuma construção dos aspectos do mundo a ser validada com diferentes métodos, e sim se abordam os fenômenos num processo histórico contínuo, sem que a estrutura do mundo da vida seja abandonada. Por isso, deve soar estranho ao estudioso de ciências naturais quando a MTC lida com conceitos como úmido e frio. Em princípio, por razões metodológicas, eles devem parecer estranhos à análise realizada pelas ciências naturais, mas não representam uma mera metáfora. Nesses conceitos se estabelece, antes, uma relação entre uma unidade de diretivas e concepções sobre a estrutura geral da efetividade. É totalmente equivocado acreditar que a MTC consiste simplesmente em um emaranhado confuso de sugestões médicas individuais. Qualquer um pode facilmente perceber pelos textos de MTC que os conceitos são sistematicamente estruturados. Certamente, sua sistemática não exige a renúncia a estruturas concretas do respectivo mundo da vida. A cientificidade da MTC está justamente no fato de ela ter unido os polos que, para os ocidentais, são inconciliáveis: aqueles do mundo da vida não reduzido e que não podem ser compreendidos pela razão. Diante do conceito intrínseco que a MTC tem da experiência, cabe-nos designar como "transgressor" o conceito de experiência relativo às ciências naturais, pois ele tem de pagar o preço da redução de subjetividade. É fácil perceber quão próximo o conceito intrínseco da experiência está das conhecidas técnicas asiáticas de meditação.

Uma interessante diferença metodológica é a seleção de experiências. É um equívoco acreditar que a MTC só transmite a seleção de experiências por meio do êxito, o que, no entanto, é uma concepção muito disseminada do pragmatismo chinês no mundo ocidental. Ao contrário, a MTC tem dois pilares metodológicos para a seleção de experiências: estas só podem ser selecionadas por pessoas com qualificações especiais, e a seleção é orientada por critérios integrais. O primeiro significa que os observadores qualificados não são pessoas cuja subjetividade seja reduzida a zero (como na ciência ocidental); sua subjetividade é, antes, ampliada ou restringida segundo critérios especiais. Isso significa que o observador recebe sua qualificação por meio de critérios éticos, que são argumentados a partir da estrutura do mundo da vida. Nesse caso, podemos reconhecer o papel especial do confucionismo para a MTC. Quem sabe como os cientistas ocidentais são socializados não pode ver nisso nenhum argumento contra a cientificidade da MTC. A experiência intrínseca é também uma experiência regulada pela ética, que, numa situação de perturbação, desenvolve diretivas que têm por finalidade restabelecer a totalidade funcional sem nenhuma alteração. No entanto, o problema da normatividade na MTC não se apresenta porque é resolvido em cada interação. Nesse sentido, pode-se reconhecer muito bem a limitação intelectual da ciência ocidental, pois ela entende a normatividade da ciência chinesa como se esta estivesse reduzida ao êxito.

Com respeito à MTC, o conceito da verdade acaba sendo desconsiderado, pois, quando o construto em funcionamento retroage ao mundo da vida, ele atinge uma posição na ciência europeia que não pode ser transferida para a MTC. Isso porque a MTC não faz diferença entre o mundo da vida e o sujeito diante do objeto. Nesse sentido, a MTC mostra-se superior em relação à medicina ocidental, pois essa confrontação típica da ciência ocidental entre sujeito e objeto dificilmente pode ser combinada com a estrutura de ação da medicina. O que vale não é hipostasiar as condições atuais, e sim usar de intervenções para chegar às condições ideais. Para tanto, é preciso pressupor que o campo do objeto não é abstratamente reduzido; do contrário, as intervenções levariam apenas a artefatos teóricos. Esse dilema da medicina ocidental só pode ser solucionado pelo médico experiente com a ajuda de suas próprias interpretações sobre o mundo da vida. Isso nos permite, portanto, reconhecer que, eventualmente, a medicina ocidental mantém sua cientificidade pelo preço de intuições metodológicas não justificadas.

Um caso interessante é o do papel da espiritualidade na medicina. Como todos sabemos, mesmo na medicina ocidental ela não é contestada por médicos experientes, embora, do ponto de vista da metodologia, não seja considerada. Na MTC, a espiritualidade é um componente irrenunciável do método, pois sem ela as experiências orientadas pelo mundo da vida não seriam possíveis.

A história das ciências naturais é uma desmitologização do mundo. Esse foi o preço dos modelos que, de uma maneira ou de outra, estão em funcionamento no mundo. Mas esses construtos representam reduções de características e, quando empregados, substituem os campos da efetividade. Isso tem consequências graves para o uso na medicina. Determinados fenômenos continuam sem explicação por razões metodológicas. Em contrapartida, são a vantagem e a desvantagem da MTC: ela não deixa lacunas induzidas pela metodologia, porém paga o preço por ser menos clara.[4]

4. Ver o livro de Günther S. Hanzl, *Das neue medizinische Paradigma. Theorie und Praxis eines erweiterten wissenchaftlichen Konzepts*. Heidelberg, Karl F. Haug, 1992.

A teoria científica do realismo construtivo: uma introdução para médicos

Três formas do construtivismo: uma delimitação

Depois da Primeira Guerra Mundial, diferenciaram-se três importantes correntes construtivistas. Com base nas necessidades da ciência, que são atendidas pela respectiva teoria científica do construtivismo, pretendo discutir essas três correntes.

Toda teoria científica atende a determinadas necessidades da ciência porque dela desenha determinada imagem. As imagens dos três construtivismos são bem diferentes, e essas diferenças se diluem cada vez mais, uma vez que quase todas se nomeiam construtivistas, sem saber o que de fato isso significa. Desse modo, as correntes construtivistas se aproximam cada vez mais uma das outras, embora essa aproximação aconteça por desconhecimento e de forma totalmente errada. Na verdade, além do nome, posso citar apenas um aspecto em comum entre as três abordagens construtivistas, a saber: a convicção, ou melhor, o conhecimento de que a concepção tradicional e descritiva da ciência não é sustentável. No entanto, essa é uma base negativa bastante estreita.

A Escola de Bielefeld — construtivismo radical

Afinal, de qual dos três construtivismos estamos falando? Segundo a tese central da Escola de Bielefeld, que trata do construtivismo radical, tudo é construído e, portanto, o sujeito constrói o mundo a partir de um único impulso sensorial. Já a tese da Escola de Erlangen, que segue o chamado construtivismo metódico, diz que as teorias científicas são desenvolvidas a partir de ações originais e, consequentemente, a elas devem ser atribuídas de acordo com a lógica da fundamentação.[1]

Que necessidades são atendidas pela Escola de Bielefeld? A necessidade central é emancipatória, ou seja, aquela de emancipar os sistemas normativos. Satisfazer a emancipação é um critério que supostamente populariza os construtivismos no presente. A tese explícita da Escola de Bielefeld é que podemos e devemos nos libertar de prescrições previamente dadas. Seus estudiosos chegaram a essa conclusão a partir do fato de que, nas últimas décadas, os sistemas normativos fracassaram um após o outro. Por isso, foram designados como um retrato cultural da ruptura de sistemas normativos da ética, da estética, da lógica e da teoria científica. Nos últimos anos, foi perceptível justamente o fracasso dos sistemas normativos da ética (ver Wallner, 1999b). Isso também corresponde à experiência de vida das pessoas que nada têm a ver com a ciência e a lógica. Como nesse caso, real ou aparentemente, é satisfeito um sentimento de vida, a Escola de Bielefeld também é muito popular num nível bastante trivial.

Alguns autores de primeira importância da Escola de Bielefeld estão reunidos nos dois volumes de *Der Radikale*

---

1. Bibliografia complementar:

Fritz G. Wallner. *Die Verwandlung der Wissenschaft. Vorlesungen zur Jahrtausendwende*. Hamburgo, Kovac, 2002.

Fritz G. Wallner . *What Practitioners of TCM Should Know*. Frankfurt a. M., Peter Lang, 2006.

Konstruktivismus [O construtivismo radical], organizado por Siegfried Schmidt (ver Schmidt 1987, 1992), nos quais se encontram ideias características dessa corrente. Além da tese central de que tudo é construído, não impera nenhuma concordância entre os autores sobre o que, de fato, é o construtivismo. Nessas obras é possível encontrar autores que partem de formas bem diferentes de construtivismo, como Ernst von Glasersfeld (1996), que faz uma interpretação linguística, ao contrário de Gerhard Roth (1987), que parte de uma interpretação biológica e sustenta que o mundo é um construto do cérebro. Para mim, de certa maneira, essa escola teria se reunido por razões propagandísticas. De maneira geral, ela defende a tese do construtivismo radical, mesmo que não exista mais nada em comum. Por exemplo, Roth está muito distante de Maturana (1987), mas muitos acham que há uma semelhança entre eles por serem biólogos.

O que podemos encontrar de comum entre ambos os construtivismos radicais é o desejo de emancipação. A emancipação deve ser conceitualizada. Esse é um fenômeno típico, que pode ser estudado no movimento de emancipação das mulheres. Nesse movimento também se tenta encontrar uma teoria para a emancipação. Para o construtivismo radical, trata-se de descobrir uma teoria da emancipação concreta, com a qual se procura mostrar como ela influi na ciência. Todavia, só podemos nos emancipar de algo que antes exercia pressão — eis a razão para a emancipação de sistemas normativos. Só que é exatamente o que não acontece com a Escola de Bielefeld. Só podemos nos emancipar de algo de que temos consciência como uma instância que exerce pressão. Nesse sentido, a ciência só pode libertar-se de instâncias normativas conscientes, que são simplesmente aquelas que lhe fazem ou fizeram prescrições em público, como a filosofia, a teoria científica, eventualmente a sociologia e disciplinas semelhantes. Mas, na verdade, essas instâncias têm muito pouca influência sobre o cotidiano da ciência. Se a ciência for obrigada a emancipar-se ou precisar fazê-lo, certamente a filosofia, a sociologia e a teoria científica não serão o melhor caminho. Embora tenham feito prescrições — a filosofia sempre, a teoria científica na maioria das vezes, e a sociologia eventualmente —, noventa por cento dessas prescrições foram ignoradas pelos cientistas: elas não desempenham nenhum papel, não produzem nenhum estresse psicológico na vida da ciência. O desejo de emancipação acontece apenas quando queremos nos libertar de algo que nos faz sofrer. Quando um cientista fica feliz por poder servir a uma instância, não desejará emancipar-se. As instâncias que representam uma ameaça para os cientistas são as que implicitamente influenciam de maneira impenetrável o curso das ciências. Quando a ciência sente necessidade de emancipar-se, é em relação àquelas instâncias que a controlam implicitamente, mas que ela não percebe como normativas. Esse controle normativo é discutível. Não se pode chamar de normativo outro tipo de controle.

Embora a Escola de Bielefeld atenda a uma necessidade cultural, acaba negligenciando a ciência e seus problemas. Os verdadeiros problemas da ciência não estão em mira, e a ciência acaba ficando entregue a si mesma. Embora se mostre aos cientistas que eles não têm sistemas normativos nem devem exigi-los, não lhes é oferecido o que pode orientá-los. A consequência disso é que, nesse caso, a ciência é emancipada com uma autonomia apenas aparente, e isso, em minha opinião, é perigoso para a ciência, pois, mesmo já estando desorientada, ela acaba sendo, por assim dizer, confirmada. Quando a ciência está extremamente desorientada, ela se volta para seus próprios recursos intelectuais. Mas esse retorno inicial a si mesma é um retorno ao instrumentalismo. Quando tudo se torna questionável — verdade, mundo, valor social, finalidade da ciência —, nada mais resta a cada cientista a não ser orientar-se por um sistema de princípios. Esses sistemas são elaborações instrumentais de dados, em que a quantidade destes é estruturada em determinadas constelações (ver Zitterbarth, 1993). A ciência instrumentalizada prepara os dados sem levar em conta seus contextos objetivos. Todo estatístico sabe que a correlação nada diz sobre os contextos reais, mas apenas sobre o surgimento comum de duas características, que só existem no conjunto de dados.

A instrumentalização na ciência é a renúncia à objetividade e, por conseguinte, a renúncia à verdade. Essa renúncia à objetividade reduz a ciência a um instrumental com diferentes finalidades para instituições, políticos e agrupamentos sociais em geral. Consequentemente, toda pessoa que deseje defender uma tese especial em público encontrará um especialista para lhe fornecer boas razões, cientificamente fundamentadas. Destarte, esse desenvolvimento é possível quando cancelamos a objetividade e a verdade da ciência, sem oferecer um substituto para elas. Quando esperamos que o construtivismo nos explique que a ciência é um empreendimento pleno de sentido, vinculativo e racional, o construtivismo radical não atende a essa necessidade, a esse anseio cultural. Quem acha que a ciência é um "embuste" irracional e corrupto não precisa recorrer à filosofia para defender a ciência ou condená-la em público.

A Escola de Erlangen — construtivismo metodológico

A Escola de Erlangen é a escola do filosofar com método. De certa maneira, ela foi iniciada involuntariamente por alguém que nada tinha a ver com Erlangen: Hugo Dingler, matemático e filósofo, que morreu cerca de dez anos após a Segunda Guerra Mundial. Em muitos aspectos, foi um homem genial, que teve a ideia de que o sistema de princípios científicos pode ser fundamentado por meio da recondução a ações elementares. Com a ajuda da geometria, sua verdadeira especialidade, mostrou como o plano e as diferentes figuras geométricas resultam de atividades geométricas. As figuras geométricas não são imagens ideais que "observamos" num mundo ideal e suprassensível, e sim resultados da construção de atividades humanas. Em essência, esse é um pensamento de grande efeito, que ele desenvolveu em toda a sua amplitude e que décadas depois, nos anos 1960, levou Paul Lorenzen a transferir o princípio das construções de ações elementares para as ações lógico-linguísticas, permitindo, assim, a construção das leis da lógica (ver Lorenzen, 1968).

A metodologia dessa escola construtivista tem por meta normatizar o pensamento e, com isso, excluir o que lhe for contrário. Essa situação repetiu-se várias vezes décadas depois, quando os cientistas da Escola de Erlangen prescreveram aos físicos como eles deveriam proceder no desenvolvimento de teorias ou no manejo de resultados experimentais (ver Janich, 1997). Com razão, isso desencadeou o protesto dos físicos, que acabaram se retirando dessa escola. Eu mesmo, em meados dos anos 1970, quase me filiei a essa escola. Porém, já nessa ocasião eu me orientava pela ideia de que a teoria científica, antes de mais nada, deve trazer algo aos cientistas; e depois que os problemas antes mencionados se tornaram visíveis, deparei-me alguns anos depois com os textos de Maturana (ver Maturana, 1982).

O problema da Escola de Erlangen é que os próprios cientistas disseram, com razão, que essas prescrições desenvolvidas a partir de reflexões metodológicas não são conciliáveis com o trabalho científico. Elas respondem à exigência de normatividade que muitos sentem e que se torna tanto mais forte quanto mais irrealizável ela for. O encanto da Escola de Erlangen está no fato de que essas normas são introduzidas não diretamente, mas pela ação individual. Essas normas, que provêm da ação elementar, não são formadas pelo conhecimento lógico ou por conhecimentos de tipo metafísico. São estabelecidas de modo que resultam da ação individual. Os agentes, que seriam os integrantes da Escola de Erlangen, só podem agir de determinada maneira (ver Janich, 1993). Essa estratégia de argumentação não funciona, pois não podemos antecipar as ações em suas múltiplas estruturas. A conclusão antropológica equivocada está no fato de a ação ser múltipla e imprevisível demais em suas possibilidades para que possamos limitá-las a alguns tipos.

Que conceito de ciência surge dos esforços da Escola de Erlangen? A ciência torna-se culturalmente inteligível. Embora os cientistas da Escola de Erlangen ofereçam algo bem diferente do que é oferecido pelo Círculo de Viena, apresentam consequências semelhantes como um tipo de ciência cultural que pode ser entendida como ciência unificada. A expressão "ciência unificada" não é apreciada pelos adeptos da Escola de Erlangen, porém, como permite uma comparação incisiva, é aplicada nesse caso. Com isso, a Escola de Erlangen faz uma coisa que, por um lado, é muito desejável, mas, por outro, encerra o mesmo problema que o Círculo de Viena teve durante décadas, a saber, o de que não se podem estabelecer conceitualizações nem estruturas científicas. Quem acha que pode reduzir a ciência a determinados procedimentos que fundamentam a ação humana sempre se surpreenderá com os desenvolvimentos concretos da pesquisa. O conceito de uma compreensão da ciência por limitação não funciona.

Realismo construtivo

Analisemos agora o que o realismo construtivo desenvolvido por mim tem a oferecer nessa situação. Quando recordo a história relativamente curta do realismo construtivo, posso dizer que, no início desse movimento, havia duas metas: em primeiro lugar, a de que a teoria científica deve orientar-se pelo comportamento e pelas necessidades dos cientistas. Estes sempre me disseram que, de fato, a maior parte das coisas que a teoria científica representa não lhes interessa. Ao mesmo tempo, porém, enumeraram tudo o que lhes interessaria, e que eram questões genuinamente filosóficas. A maioria dos teóricos da ciência respondeu a questões que os cientistas não fizeram. Já as perguntas que são interessantes para eles foram deixadas sem resposta pela teoria científica.

Quase todas as perguntas feitas pelos cientistas eram sobre orientações, e não sobre estruturas lógicas. Desse modo, o tema preferido da teoria científica formal caiu totalmente por terra. É ilusão de muitos teóricos da ciência acreditar que as análises lógicas são úteis, interessantes ou importantes para os cientistas. As respostas que os estudiosos das ciências naturais procuram estão no campo da ordenação de seus próprios produtos. Eles produzem sistemas de princípios e podem explicá-los apenas a seus colegas, a mais ninguém. Em seminários técnicos, é possível ver que colegas com boa qualificação, provenientes de diferentes ramos das ciências naturais e capazes de explicar com maestria um sistema formal em linguagem formal, não conseguem transmitir esse sistema em outra linguagem. Há alguns anos, isso nos permitiu reconhecer que a ciência já se encontra num retorno ao instrumentalismo. Esse retorno — com ou sem os seguidores da Escola de Bielefeld, que talvez não tenham desempenhado um papel tão importante assim — é um fenômeno bastante grave da ciência atual. Quem acha que, de todo modo, a ciência serve apenas para melhorar as condições de vida; quem entende a ciência somente como uma técnica; quem não faz nenhuma diferença entre a chamada "ciência pura" e a técnica e enxerga tudo do ponto de vista tecnológico acaba por se admirar com o barulho que se faz em torno dela. Os aviões voam, os automóveis andam, muitas vezes alguma coisa dá errado, mas, de modo geral, tudo funciona. Contudo, quem reduz a ciência a esses fatores na verdade está desistindo da pretensão a conhecer a ciência. Essa é uma consequência de enormes proporções, pois, quando nos distanciamos da pretensão ao conhecimento a partir da ciência, o conhecimento se torna objeto das religiões, das seitas e das ideologias, e essas instâncias habitualmente não são capazes de mostrar o conhecimento como tal.

Desse modo, chegamos ao segundo objetivo do realismo construtivo: não abandonar precipitadamente a pretensão ao conhecimento da ciência. Por trás desse objetivo também se encontra uma forte necessidade cultural, pois, na maioria das vezes, outras instâncias não conseguem satisfazer totalmente e, em todo caso, com seriedade, o que, não obstante, o ser humano ainda sente necessidade de conhecer. Surgem estrelas-guia, sobre as quais não se sabe ao certo para onde conduzem. Portanto, na ciência, a pretensão ao conhecimento deve ser mantida, porém não da maneira tradicional. O realismo construtivo busca uma possibilidade de mostrar em que sentido a ciência leva ao conhecimento, mas sabe que as ofertas tradicionais da teoria do conhecimento não cumprem o que prometem. Podemos, naturalmente, fazer de conta que o plano instrumental da ciência já seja o conhecimento. Assim sendo, podemos afirmar que os vermes também têm conhecimento porque sabem onde devem enterrar-se — isso seria uma teoria evolutiva do conhecimento. Nesse tipo de redução, tudo acaba se transformando em conhecimento, e, com isso, o conceito de conhecimento é desfeito. A consequência disso é especialmente problemática porque se desfaz um conceito ao afirmar que ele é mantido. Esta é a razão de a teoria do conhecimento evolutivo ser tão bem-sucedida: ela atendeu às necessidades da fundamentação do conhecimento, na medida em que o desfez implicitamente. Essa posição de partida leva à pergunta sobre o que, afinal, deve ser modificado na teoria tradicional do conhecimento se quisermos alcançar o objetivo de sua fundamentação.

Pensamentos e conhecimentos de Humberto Maturana

Os textos de Maturana exerceram certa influência no desenvolvimento do realismo construtivo. No final dos anos 1970 e início dos anos 1980, Maturana ficou conhecido como escritor (ver Maturana, 1982). Ele desenvolveu um pensamento que lhe granjeou muitos inimigos no círculo dos seus pares, os neurobiólogos. Segundo esse pensamento, experimentalmente mostrado num sapo, a informação não flui de fora para o sistema nervoso; ao contrário, nos seres vivos, as extremidades dos nervos são deformadas quando o meio ambiente é alterado, e o cérebro, como ponto central do sistema nervoso, passa, então, a produzir imagens (ver Maturana & Varela, 1987). Em essência, esse é o modelo de Demócrito, que curiosamente ainda é válido depois de dois mil e quinhentos anos. Nesse sentido, Maturana é um homem importante, pois refutou concretamente essa ideia. Na ocasião, chegou a causar certo choque, pois a teoria da informação desempenhava um papel central. Se sua hipótese estivesse correta, ela significaria uma revolução na ciência. Em seguida, embora os neurobiólogos tenham se oposto a Maturana, não conseguiram dar nenhuma explicação satisfatória. Foerster desenvolveu ideias parecidas (ver Foerster, 1985). Maturana não está totalmente só nesse campo, mas provou da maneira mais unívoca e clara que o sistema nervoso não capta informações, e sim as produz (ver Maturana, 1987).

Muitos são da opinião de que talvez Maturana seja um solipsista. Além de não ser verdade, isso certamente mostra que suas ideias não foram bem compreendidas. Para explicar essa concepção, pensemos em um grupo isolado de pessoas em um restaurante, onde é permitido que apenas os garçons, e não outras pessoas, se aproximem dele e lhe tragam comida. Isso significa que o grupo estará fechado enquanto não receber informações de fora, porém, estará aberto quando conviver com o meio ambiente. Estar fechado, sem receber informação, não significa ser solipsista, mas simplesmente que as informações são produzidas por deformações do sistema nervoso. Para dizer de modo mais exato, as deformações fazem com que o sistema nervoso produza imagens. A informação é um efeito do sistema nervoso que ocorre por meio do estímulo. Estimulado pelo que acontece em torno, o sistema nervoso cria imagens. Deveria estar claro que essa ideia de que nenhuma informação vem de fora é tão fundamental que, na verdade, poderia ter revolucionado algumas ciências, como a psicologia, o jornalismo e outras ciências semelhantes, mas não foi o que aconteceu. Ela foi em parte silenciosamente ignorada e em parte silenciosamente integrada nas ideias que desenvolvemos.

A ciência tem um fator considerável de persistência. Somente por necessidade interna um cientista admitirá que seu produto não é "apropriado". Em circunstâncias normais, dificilmente isso acontecerá. Essa também é uma razão para os produtos científicos em seu estado original não serem exclusivamente racionais.

A ontologia do realismo construtivo

A determinação da ciência como fenômeno e processo culturais deixa claro que a teoria científica tradicional teve uma visão muito limitada da ciência ao tomá-la como um sistema lógico, tirado da vida real. Contudo, a ciência não pertence unicamente à vida diária de um grupo de pessoas, ou seja, aos cientistas; ela pertence principalmente à cultura ou às diferentes culturas. Nessa situação, tomamos conhecimento de que diferentes culturas criam diferentes ciências (ver Wallner, 1997). Em primeiro lugar, isso é muito difícil de aceitar. A crença, por exemplo, de que a medicina chinesa deve ser ajustada à medicina ocidental ou de que as vantagens da medicina ocidental seriam boas para a medicina chinesa é muito disseminada. Há muitas pessoas que não querem admitir que só é possível entender uma ciência quando ela é deixada em sua cultura e em seu contexto cultural (ver Wallner, 1993c).

O valor da ciência — uma mera "instância da maximização da sobrevivência"?

Quando se trata de esclarecer o mundo, a compreensão é fundamental, pois sem ela não pode haver conhecimento. Poderíamos até renunciar à pretensão da ciência de transmitir conhecimento se nos limitássemos a dizer que ela simplesmente facilita a vida e a sobrevivência. A garantia da sobrevivência é muito valiosa; porém, há mais de dois milênios a ciência europeia exige mais. Quando recorremos a esse ponto de vista (a ciência como instância da maximização da sobrevivência), nossa vida também se modifica radicalmente. Então admitimos que, de fato, a compreensão não tem como existir. Isso significaria que tudo o que é conhecimento é reduzido aos chamados conhecimentos elevados, que muitos gurus acreditam ter ou que outros acreditam que eles têm. Ou então diminuiríamos tanto nossa pretensão que nada mais nos restaria além de cumpri-la. Todavia, é horrível imaginar que a vida pode perder seu sentido, que a nós só resta cumpri-la, pois, como consequência, ela seria totalmente regulada. Eis a alternativa e o risco para o futuro: resvalarmos para dentro de um sistema social em que já não existam decisões individuais. Isso não soa como teoria do conhecimento, e sim como filosofia social. Entretanto, a ciência é justamente um fenômeno social. E quem a modifica o faz com uma sociedade inteira. Hoje a ciência é tão central para os homens e o seu cotidiano que uma mudança nesse campo afeta a vida como um todo (ver Fischer, 1999).

A produtividade da ciência

Quando nos perguntamos qual a marca deixada pelo século XX, em primeiro lugar devemos mencionar a ampla disseminação da democracia, que só despertou na sua forma atual no século XIX. Em toda a Europa e além dela, a democracia de massa só se estabeleceu no século XX. Em segundo lugar, devemos mencionar as ideologias com suas terríveis consequências: nacional-socialismo, fascismo e comunismo. Até hoje, ainda não se conseguiu entender a individualidade humana, que sempre vem à tona em épocas de crise, por exemplo, na forma do existencialismo, que foi um fenômeno do pós-guerra. A importância do indivíduo sempre aparece quando impera uma crise; enquanto não houver crise, o homem não reflete sobre si mesmo. Com respeito às questões fundamentais da ciência, impera hoje uma crise que é encoberta pelo fato de a ciência ser um sistema individual e extremamente rico em sua produtividade. Nossa produção de conhecimento é duplicada a cada três anos. Com a ajuda da tecnologia moderna e das pessoas que hoje trabalham na ciência, os resultados científicos individuais são extremamente produtivos.

Em contrapartida, na transmissão de conhecimento a ciência não só é muito fraca, mas também, sob muitos aspectos, desistiu da esperança de transmiti-lo. Essa é sua verdadeira crise. A isso está relacionado o fato de que hoje a influência da ciência sobre a sociedade é mais fraca do que há vinte ou trinta anos, embora sobre a vida cotidiana essa influência seja indubitavelmente maior. Basta imaginarmos como funcionava um escritório há trinta anos e como ele funciona hoje. Os computadores sem dúvida desempenham o maior papel, mas também há muitas outras tecnologias. Como fenômeno, é muito interessante que atualmente a ciência regule com muito mais força o cotidiano, mas que a sua reputação social seja muito menor. Essa notável contradição está ligada ao fato de a ciência não ter observado sua pretensão a transmitir conhecimento, duvidando dessa sua tarefa. Nisso está uma das missões do realismo construtivo como uma teoria científica que resolve enfrentar os problemas atuais, ou seja, superar o paradoxo de que a ciência exerce grande influência no mundo da vida, mas perde cada vez mais prestígio e competência social.

O pensamento fundamental do realismo construtivo é a separação da ciência em dois planos. De início, a ciência se desenvolve num plano de sistemas de princípios, que a auxiliam a regularizar e manusear determinadas quantidades de dados. No entanto, isso se refere a uma quantidade muito especial de dados. Assim que essa quantidade aumenta, surgem problemas. Quando passamos de uma das várias áreas específicas da física para outra, a confusão já se mostra completa. Sistemas de princípios científicos referem-se a quantidades específicas de dados. Entendo a estrutura dos sistemas de princípios como prescrições de como devemos lidar com quantidades de dados. Essas estruturas nos dizem o que esperar quando executamos determinadas ações. Desse modo, sistemas de princípios científicos não descrevem seu objeto, e sim prescrevem a ação. Eles dizem o que deve ser feito para alcançar determinado objetivo.

Prescrições científicas em vez de descrições

No século XIX, Duhem (1906-1998), importante teórico da ciência, aproxima-se do espírito do realismo construtivo. Ele formulou a interessante ideia de que sistemas de princípios científicos não são descrições da natureza — como a maioria das pessoas pensava então —, mas prescrições de como temos de lidar com os fenômenos. Quando deixamos o plano linguístico, portanto, o plano dos sistemas de princípios científicos, e nos voltamos para o plano dos objetos, portanto, para aquele ao qual os sistemas de princípios científicos se referem, podemos constatar que esses dados foram reunidos ao longo da atividade científica. Embora tenham sido inventados, os sistemas de princípios científicos não são meros produtos da imaginação, pelo menos não no sentido de que não têm objetos. Os dados foram reunidos depois de observados e testados com procedimentos altamente técnicos. Isso significa que foram produzidos por ações. Podemos exemplificar isso muito bem com os dados históricos. Quem quiser escrever uma obra como historiador, digamos sobre a chamada "era pré-março",[2] terá de ler centenas de outros livros

2. Ver Dingler, 1931; Janich, 1992a, 1992b, 1993; Hartmann & Janich, 1996; 1998. No que se refere à ciência, a tese central da Escola de Viena sobre o realismo construtivo faz uma distinção entre dois níveis. Ver Wallner, 1992a, b.

e talvez quinhentas outras publicações. Porém, se recorrer às fontes, a descrição desse período histórico poderá variar, caso o autor queira descrevê-lo como um desenvolvimento cultural, social ou no sentido de uma política de poder de diferentes Estados. Disso dependerá qual sistema de dados o historiador pretende formar, quais dados reunirá e quais deixará de lado. Em princípio, não é diferente nas ciências naturais, pois nelas os equipamentos e as finalidades também irão determinar quais dados serão reunidos e quais serão deixados de lado por não serem considerados essenciais. Os dados nunca são "objetivos". Kuhn (1969) já chamava a atenção para o fato de que não existem dados "puros"; ao contrário, eles estão sempre carregados de teoria. Hoje, essa carga é uma formulação padronizada da teoria científica. Ao reunir dados, o cientista já tem uma teoria em mente, e são justamente esses pressupostos, muitas vezes inconscientes, a causar mais problemas do que as teorias formuladas. Nestas se tem consciência dos limites; porém, quem as pressupõe sem nomeá-las será guiado por um sistema sem percebê-lo.

A ideia dos "dois mundos" e a conceitualidade de micromundos

Tudo isso me levou a tirar outras conclusões. Kuhn escreve em *Die Struktur der wissenschaftlichen Revolution* [A estrutura da revolução científica] sobre as consequências para a ciência, e muitas vezes ele foi mal compreendido. Um desses mal-entendidos reside no fato de Kuhn ter pretendido reduzir a ciência a lutas sociais. Como na política, um grupo impõe alguma coisa porque dispõe de poder suficiente. Isso não está totalmente errado, porém, da perspectiva ontológica — e agora vem o ponto filosófico importante —, quando observamos a relevância desse conhecimento na carga teórica, descobrimos que a ciência não se esclarece. Então somos obrigados a constatar que o objeto das ciências naturais não é a natureza. Embora alguns dados venham da natureza, ao serem selecionados e separados da sua origem natural, acabam sendo produzidos artificialmente. Não faz sentido acreditar que a natureza consiste em átomos ou moléculas. Esses dados foram reunidos e sistematizados de acordo com diferentes teorias por meio de aparelhos técnicos.

Isso me permitiu chegar à conclusão fundamental de que se deve diferenciar dois mundos. A ideia dos dois mundos não parece nada nova, pois, de fato, muitas vezes já se pensou em algo semelhante: o aquém e o além, ideias e coisas aparentes, aparência e verdade, para mencionar algumas. Mas quero tratar de outra coisa. De que mundos estou falando e como eles podem ser caracterizados?

Do ponto de vista ontológico, o mundo dos sistemas de dados científicos é o nosso mundo, um mundo criado por nós. O mundo *com* o qual vivemos também existe. Sempre foi uma questão filosófica essencial se de fato existe um mundo. Aqui sigo Wittgenstein, para o qual a dúvida só é justificada quando fundamentada;[3] uma dúvida sem fundamento é um mau uso gramatical, um mau uso da língua. Sistemas filosóficos muitas vezes consistem em usos indevidos da língua (ver Wallner, 1983). Como não existe nenhuma dúvida fundamentada sobre a existência do mundo, podemos tranquilamente aceitar que o mundo existe. Faz sentido dizer

3. Período histórico na Alemanha que vai do fim do Congresso de Viena, em 1815, até a Revolução de Março, em 1848. (N. T.)

que existe um mundo. Além de vivermos nesse mundo existente, vivemos com ele. Terminologicamente o concebemos como "efetividade" e destacamos o mundo construído por nós como uma "realidade" da efetividade.

Todavia, não existe nenhuma razão para aceitar, como pensa a ciência, que a efetividade é estruturada. Essa é uma conclusão importante do que foi dito antes e diferencia o realismo construtivo da filosofia tradicional. Esta subentende que quando conseguimos ao menos tornar plausível a existência do mundo, também tornamos plausível o fato de os resultados científicos se aproximarem desse mundo e, de algum modo, entrarem em contato com ele. Mas, equivocado pensar assim! É um erro de princípio aceitar que o mundo possui categorias, que na efetividade existem espaço, tempo, substância ou causalidade. Porém, tampouco há razão para tornar-se pessimista quanto ao conhecimento, pois, de todo modo, o conhecimento não deve ser conceitualizado como a concordância entre os fatos e a afirmação (esse é o conceito empírico de conhecimento). Simplesmente afirmo que os sistemas de dados não devem ser identificados com o mundo existente (isto é, com a efetividade). Sistemas de dados são mundos artificiais, partes da realidade. Chamamos esses mundos de "micromundos". De resto, esse termo nada tem a ver com microcosmo e macrocosmo. Micromundo define um sistema de dados que é descrito por um sistema de princípios científicos. Tal micromundo é, por exemplo, aquele das coisas cadentes, do movimento de acordo com Newton (ver Newton, 1988/1723); o mundo do movimento de acordo com Aristóteles é outro micromundo. Precisamos da ideia de micromundos para podermos comparar diferentes conceitualizações científicas. Trata-se aqui sobretudo de uma regulação perfeita da língua no que se refere à ciência.

Os micromundos são estruturas teóricas que em si se mostram logicamente congruentes. Dentro de um micromundo, as experiências científicas são consideradas verdadeiras. No sentido da imaginação da realidade e da efetividade, um micromundo movimenta-se no reino da realidade, visto que se trata de um construto criado pelo ser humano. Esse construto age não apenas no espaço teórico de afirmações científicas; ele também tem influência direta sobre o mundo da vida que nos cerca. O modo como vemos o mundo é determinado pelo fato de pertencermos a um micromundo. Portanto, o micromundo não é um sistema isolado, mas está em constante interação com as pessoas que o constroem.

Por exemplo, uma obra histórica sobre Carlos Magno também vale como um micromundo. Naturalmente, Carlos Magno não é um micromundo. De acordo com tudo o que sabemos, podemos aceitar que existiu um Carlos Magno, e não há nenhuma dúvida fundamentada para pôr sua existência em dúvida. Quanto ao restante, o modo como ele pensava, como conduzia a política e que objetivos perseguia, são micromundos que construímos. Ao se compararem obras históricas sobre Carlos Magno, escritas no século XIX, na época do nacional-socialismo e na atualidade, é difícil imaginar que se trata sempre da mesma pessoa, pois o levantamento e a estruturação dos dados são sempre bem diferentes. Seria um erro acreditar que o que importa, por assim dizer, é o que é estável, o que permanece igual, como sugeria a antiga teoria científica, na suposição de que na ciência existem determinadas bases de dados que permanecem iguais. Se entre os três livros sobre Carlos Magno se encontra alguma semelhança, é porque obviamente existem fatos que não se modificam. Contudo, esses são fatos triviais que não transmitem conhecimento; entre eles estão circunstâncias a ser imediatamente destacadas, como desenhos ou retratos. O trivial continua igual, mas é irrelevante para o conhecimento. O que realmente importa, também nas ciências naturais, é aquilo que pode ser mudado. O que não se pode mudar, o que é trivial, pode até tranquilizar, dar uma sensação de segurança, mas não transmite nenhum conhecimento essencial.

Em toda ciência existe um grande número de micromundos, que dependem do estágio em que essa ciência se encontra no momento. O micromundo da física na época da mecânica clássica era bem diferente do micromundo nos anos 1930, depois do surgimento da teoria da relatividade e da mecânica quântica. Do mesmo modo, os micromundos da física moderna também têm uma formação totalmente diferente devido ao uso maciço dos computadores. No decorrer dos últimos cem anos, a física passou por várias transformações, e não se deveria absolutamente acreditar que seu último estado é o que está sempre mais próximo da verdade. Popper tendia a essa opinião, pois, por reflexões derivadas de seus princípios, não conseguia abandonar a ideia do avanço da ciência. Por fim, foi ele quem disse que o último estado era o que mais se aproximava da verdade (ver Popper 1994; 1997). Na realidade, o último estado depende de determinados fatores histórico-científicos, tecnológicos, sociais e psicológicos, da mesma forma que os estados anteriores também dependiam de fatores desse tipo, o que naturalmente é mais uma consequência da totalidade dos resultados científicos.

Um sistema reflete o mundo só porque funciona?

O equívoco da ciência tradicional é acreditar que um sistema em funcionamento reproduz o mundo. Hoje sabemos que um sistema pode funcionar e o mundo, apesar disso, ser bem diferente. Tomemos um exemplo simples. A mecânica de Newton funciona tanto quanto a teoria geral da relatividade, no sentido de que ambas fazem previsões exatas. Mas disso não se pode deduzir se o mundo é "newtoniano" ou "einsteiniano". Esses problemas surgem com a falsa ideia de que a ciência descreve o mundo e, portanto, em última análise, também com o uso de um sistema errôneo de conceitos. O que fazemos aqui se alimenta da compreensão de que a língua não pode ser conceitualizada como um todo, isto é, não é possível captar tudo o que é linguístico com uma gramática universal.

No realismo construtivo existe, a princípio, a distinção primitiva entre a efetividade (o mundo em que vivemos) e a realidade (o mundo construído cientificamente por nós). No entanto, devemos aceitar um terceiro mundo que, por assim dizer, está no meio desses dois. O sociólogo Alfred Schütz afirma em seus livros que deveríamos integrar esse terceiro mundo ao nosso sistema. Além do mundo dado e do mundo construído, existe outro que, em certo sentido, também é construído, mas que aceitamos como se fosse dado. Schütz e Husserl chamam esse mundo de "mundo da vida" (ver Thurnher, 1995). Inicialmente, Husserl cunhou o conceito de mundo da vida no sentido da teoria do conhecimento (ver a respeito a introdução de Husserl, 1986/1936, pp. 220-292). Mais tarde, esse conceito foi interpretado por

Schütz do ponto de vista sociológico (ver Schütz & Luckmann, 1979; 1983).

O mundo da vida é aquele de que nos ocupamos no cotidiano, sendo que o conceito de ocupar-se aqui é essencial, pois não fazemos o mesmo com a efetividade; esta é, por assim dizer, nosso destino biológico (ver Wallner, 1995). Essa efetividade, ou seja, o mundo não construído, permanece incompreensível para nós. Estamos entregues a ela não no sentido de Heidegger, mas num sentido biológico muito trivial, visto que também estamos entregues aos processos que ocorrem em nosso corpo. Naturalmente, podemos transformar a efetividade até certo grau de realidade. Concretamente, isso significa que, a partir dos males cardíacos sofridos pelos homens, os cientistas podem desenvolver um sistema de dados, com eles construir um micromundo e, dessa maneira, substituir o coração como órgão natural por outro artificial. Assim que transformamos o que é natural em micromundo, nós o substituímos por ele, e a natureza perde o que lhe é natural. O coração pesquisado e tratado pela medicina deixa de ser natureza para ser um micromundo da medicina. Com esse micromundo muita coisa foi alcançada, mas também se criaram efeitos que não estavam previstos. Isso significa que a natureza ainda permanece ao redor desse micromundo, pois os micromundos só substituem aspectos isolados dela. O micromundo não reproduz nada, ele substitui. Onde há micromundos a efetividade deixa de existir! Por conseguinte, uma consequência das ciências naturais é a sucessiva reformulação da natureza na cultura.

Observemos esse terceiro plano ontológico, o mundo da vida, um pouco mais minuciosamente. Ele é construído no sentido de que existem diferentes mundos culturais da vida. O mundo da vida de um chinês do segundo milênio é totalmente diferente do nosso. Um mundo da vida é um sistema de convicções e regras (ver Wallner, 1995). Desse sistema fazem parte as convicções que as pessoas têm da medicina para além da medicina científica, quando, por exemplo, uma avó trata doenças com diferentes chás que têm seu efeito específico. Convicções do mundo da vida também estão certas até certo ponto justamente porque se desenvolveram culturalmente e, em determinadas circunstâncias, foram transmitidas por vários séculos, o que significa que se preservaram. Com isso, acabaram orientando o comportamento no cotidiano e tirando ou facilitando a pressão para se tomar uma decisão.

Com mundo da vida não se subentende o que na psicologia é designado como "subjetivo". Naturalmente, sempre há uma coloração subjetiva da vivência, mas o mundo da vida pertence necessariamente a uma unidade cultural e cria a união cultural dentro dos indivíduos. Nesse sentido, obviamente o mundo da vida também é um pressuposto da percepção subjetiva, na medida em que a forma de acordo com estruturas inconscientes. Os mundos da vida são inventados. Ao contrário dos científicos, sua invenção não se deu de maneira aleatória, e sim ao longo de um desenvolvimento cultural. No entanto, esses mundos da vida não são fenômenos sociais, mas incluem, obrigatoriamente, a natureza como um ambiente corporal do ser humano. Nesse sentido, muitas vezes as convicções do mundo da vida são a fonte de conceitos científicos (ver Wallner, 1995). Einstein chamou a atenção para o fato de que os desenvolvimentos científicos são fantasias intelectuais que, no entanto, muitas vezes têm sua fonte no mundo da vida. Contudo, ele não falou em mundo da vida, e sim em "convicção em relação ao cotidiano". De acordo com Einstein, o mundo e os modelos científicos são aprimoramentos de nossa convicção em relação ao cotidiano (ver Einstein, 1953).

A ontologia do realismo construtivo não se dá no sentido de uma metafísica. Esse seria um equívoco fundamental. Uma metafísica exige transmitir conhecimentos sobre a estrutura do mundo. Não é o que pretendo, pois esses conhecimentos não existem. O que pretendo é apresentá-los no funcionamento das ciências. Essa ontologia é uma conceitualização do conhecimento sobre a ciência. Por isso, sua instância de prova é o próprio cientista. Sua função consiste em podermos falar de ciência num sentido mais claro. Essa ontologia serve para esclarecer o discurso sobre a ciência. Quando não fazemos essa distinção ontológica, expomo-nos ao risco de uma recaída nas ideias da descrição do mundo.

O método de conhecimento do realismo construtivo

A Escola de Erlangen tentou satisfazer a necessidade de mostrar que a construção do mundo acontece corretamente (ver Lorenzen, 1974). Essa é uma "satisfação religiosa", pois na Europa persiste a ideia de Deus como criador do mundo. Naturalmente, é significativo quando nos vemos como construtores — mesmo que apenas como copistas — que compreendem o mundo e, ao mesmo tempo, têm certeza de poder copiá-lo de modo correto. De fato, essa é uma exigência muito elevada. No entanto, nesse ínterim pôde-se reconhecer que não existe essa clareza na construção, que mesmo com o maior cuidado metodológico sempre são possíveis diferentes maneiras de proceder e que diferenças nos métodos de construção são inevitáveis até certo ponto. Isso significa que somente pela reflexão sobre os métodos não se pode assegurar que eles estejam corretos. Sabemos, a partir dos esforços da Escola de Erlangen, que o método sozinho não garante a correção da posição.

Apenas em um ponto a Escola de Bielefeld se sentiu ligada à Escola de Erlangen, e apenas em um ponto pode ser contemplada como escola, a saber, do ponto de vista emancipador de que a construção é contraposta à descrição e à realização. A construção é o aspecto criativo que, nesse método, substitui a realização, até então exigida ou em que se acreditou. Naturalmente, pode-se dar ao todo uma ênfase teológica e dizer que a "teologia da Escola de Erlangen" ainda reconhece Deus em seu papel, ao passo que a "teologia da Escola de Bielefeld" substitui Deus.

A terceira escola construtivista, o realismo construtivo, é a mais recente, surgida no início dos anos 1990. A novidade é que nela são diferenciados dois planos, que podem estar reciprocamente ligados na visão da ciência, mas que também são totalmente diferentes. Esses planos são o instrumental e o da interpretação. No instrumental ou técnico, a ciência cria seus produtos, com os quais o mundo tem relação, mas que não existiam anteriormente. Isso acontece, por exemplo, quando, numa ciência experimental, os dados são relacionados entre si e lhes é dada uma estrutura, descrita com um sistema de princípios. Possuímos os suportes de dados, portanto, determinada quantidade de informações, e um sistema de princípios que nos diz o que muda em relação a essas informações quando determinada coisa acontece. Os sistemas de princípios que esses suportes de dados descrevem não são o mundo (efetividade). Eles são a língua, mas descrevem um mundo artificial, uma criação que produz uma conexão entre os dados e diferentes informações. Esses são mundos artificiais (realidade), pois a efetividade consiste numa multiplicidade imprevisível de dados e oferece uma multiplicidade imprevisível de informações. Escolhemos aquelas que adquirimos por métodos experimentais e as unimos. Na terminologia, essas uniões de conjuntos de dados recebem o nome de micromundos.

O conceito de micromundo

Um micromundo é uma quantidade estruturada de dados que indica determinadas características, tal como o mundo, que também tem características. Diferentemente do mundo, esse micromundo tem uma quantidade limitada de características, por isso o chamamos de *micro*mundo. Os micromundos são construções artificiais do mundo com algumas poucas características. Estas podem, por exemplo, ser evidentes ou puramente formais. Quando dizemos que um micromundo tem a característica da curvatura do espaço, essa é uma característica formal, que só podemos transmitir e discutir formalmente. Outro micromundo, talvez na botânica, pode apresentar seu campo de maneira bastante evidente, por exemplo com uma ilustração. Portanto, as conexões podem ser produzidas de modo evidente ou não. Na maioria das vezes, na ciência moderna não são produzidas de modo evidente.

Os micromundos não descrevem a efetividade, e sim substituem determinados aspectos dela. Para ser direto, isso significa que o micromundo está onde o mundo efetivo desapareceu. Talvez um grande micromundo seja o mundo dos movimentos na mecânica clássica de Newton (ver Newton, 1988). Essa mecânica é um micromundo que apresenta informações relacionadas aos movimentos na Terra e dos astros e que, portanto, substituem muitas coisas do mundo dado, porém, de acordo com certos princípios. A mecânica de Newton funciona porque parte da aceitação da gravitação. No entanto, a gravitação é uma invenção. Ela não existe. É uma invenção que serve para produzir as conexões entre os movimentos. Podemos ver facilmente na teoria geral da relatividade que a gravitação é uma invenção, pois essa teoria permite explicar os movimentos sem pressupor a gravitação.

O micromundo como tal não tem valor de conhecimento. Ele é apenas uma criação em funcionamento. Um dos equívocos clássicos da ciência está em confundir a execução técnica ou exemplar de processos da natureza com o conhecimento da natureza. Com a construção de um micromundo não passamos a conhecer a natureza, e sim a substituímos. Criamos um modelo que substitui a natureza, nada mais. Naturalmente, é muito valioso quando um micromundo funciona. Micromundos tornam-se perigosos ao substituir o mundo, o que é preocupante do ponto de vista ecológico. No jargão de Heidegger, poderíamos dizer que os micromundos obstruem o olhar sobre o mundo. Quando observo o movimento apenas no sentido da mecânica, muitas coisas em movimento tornam-se simplesmente invisíveis para mim. Espaço e tempo são invenções na medida em que os aplicamos ao mundo dado e efetivo. Naturalmente, no dia a dia um objeto tem determinada distância de mim, que na nossa estruturação espacial corresponde ao espaço. No entanto, precisamos ter certeza de que se trata de estruturações que não provêm do próprio objeto e de que o espaço não tem essas características. Os micromundos são entidades técnicas. Nesse plano, as ciências naturais são técnicas. Quando nos movimentamos nesse plano, as ciências naturais e a técnica são a mesma coisa. Não obstante, o que é problemático na Europa é que, ao contrário da China, suas ciências naturais sempre requerem conhecimento.

A interpretação de sistemas de princípios científicos

As ciências naturais ocidentais não apenas pretendem tornar a vida mais confortável, como também fazem uma exigência mais significativa, que é a do conhecimento cultural. Poderíamos dizer então, quando estivermos cansados de filosofias ou vinculados a uma ideologia, que a pretensão das ciências naturais ao conhecimento foi uma ilusão. O realismo construtivo não está absolutamente cansado nem afirma que algo que foi significativo por tantos séculos possa de repente perder sua importância. Nessa situação, como filósofos somos obrigados a ajudar com explicações que possibilitem o acesso ao objetivo cultural almejado. Obviamente, pode ser que isso não funcione e que, não obstante, não se alcance o objetivo cultural. Mas não podemos dizer de antemão que, efetivamente e de todo modo, as ciências naturais são apenas técnicas, e, assim, voltarmos para a conclusão no plano da hermenêutica. Muitas partes da hermenêutica entenderam isso definitivamente como uma reação às ciências naturais. Estas são a ciência técnica que domina o mundo, e nós, os hermeneutas, somos aqueles que o interpretam e o entendem.

No plano instrumental, essa ideia está correta, mas não devemos desvincular da ciência o plano da interpretação. As consequências de tal separação seriam a total instrumentalização do mundo e, no desenvolvimento técnico, a perda de toda possibilidade de reflexão e decisão. Sem relação com as realidades científicas, a hermenêutica degenera-se em pseudociência esotérica, que se perde em interpretações que nada têm a ver com o mundo.

De fato, temos ao menos a oportunidade de interpretar os sistemas de princípios científicos. Isso acontece constantemente no cotidiano da ciência e naquele da aplicação da ciência. Como acontecem essas interpretações?

Quando adotamos uma concepção tradicional de sinais, deveríamos entender corretamente seu significado. Assim, também entenderíamos de imediato os sistemas de princípios das ciências naturais quando os aplicássemos corretamente — porém, sem dúvida, esse não é o caso. Quando nos limitamos a usar os sinais corretamente, fazendo com que o sistema funcione, é porque ainda não os entendemos. Aprendemos as regras de sua aplicação e de sua dedução e estamos "treinados" para usá-los de determinada maneira (segundo uma formulação de Wittgenstein). Naturalmente, isso não precisa ser expresso de forma tão drástica, mas significa que o uso correto dos sinais nada diz sobre o conhecimento.

Todavia, sinais não são descrições do mundo, e sim regras de como lidar com os fenômenos e as informações. Um dos grandes equívocos das ciências naturais é acreditar que podemos atribuir determinados sinais e conceitos à linguagem cotidiana. Se fosse assim, então poderíamos dizer que tal coisa é tempo e tal coisa é causalidade. Talvez funcione enquanto a física for tomada em sua forma bruta, por exemplo na mecânica clássica. Porém, isso já não funciona na mecânica quântica, porque nela surgem problemas de interpretação quando atribuímos significados aos sinais dos sistemas de princípios científicos. Esses sinais pertencem às regras de como lidamos com os fenômenos e estruturamos as informações. Em primeiro lugar, trata-se de regras de estruturação que não dizem como as coisas são, e sim como devem ser dominadas. Portanto, os sistemas de princípios científicos são instruções de como lidar com fenômenos e informações. Até agora, no entanto, ainda não temos nenhum conhecimento. Temos os sistemas técnicos e os métodos de como tratar corretamente esses micromundos. Onde e como a interpretação se realiza então? Isso não pode acontecer enquanto os sinais ou os símbolos forem formalmente atribuídos aos conceitos da linguagem cotidiana.

Só pode haver interpretação quando se entende do que a linguagem formal abre mão. Quando entendemos do que os sistemas de princípios abrem mão, vemos quais ações foram e são necessárias para construí-los. Isso significa que o conhecimento não se refere à natureza, e sim a como podemos estruturá-la. Não dá para conhecer a natureza. No realismo construtivo, o processo prático dessas interpretações é chamado de "estranhamento". Em princípio, trata-se de tirar as afirmações feitas por uma linguagem científica de seu contexto original e traduzi-las em outro contexto. Na maioria das vezes, de início surge confusão, pois os pressupostos implícitos do construto deixam de existir no novo contexto.

Todavia, com a comunicação permanente, as estruturas básicas podem tornar-se visíveis, possibilitando também aos leigos que formulem suas ideias diante dos processos apresentados. Naturalmente, essas ideias trarão características de seu comportamento linguístico, isto é, ocorrerá um estranhamento, só que, desta vez, em outra direção. Não se trata aqui de encontrar analogias nem de compreender as semelhanças estruturais como semelhanças das evoluções reais. Trata-se, antes, de deixar a própria linguagem para então conseguir enxergar, senão o todo, ao menos um campo maior. O processo de estranhamento não precisa de forma alguma limitar-se à comunicação linguisticamente invertida de áreas científicas diferentes. Também é possível, sob esse ponto de vista, observar a aplicação em oposição à formação teórica.

Construção e interpretação

Por que tanto a Escola de Erlangen como a de Bielefeld fracassaram nas pretensões da ciência? Os adeptos de Gerhard Roth diriam que toda pretensão normativa é errada e que deveríamos voltar às bases biológicas (ver Roth, 1994). Porém, quando fazemos isso, desistimos da pretensão ao conhecimento. Este exige que o homem saia da natureza e entenda como ela é, na medida em que pode imaginar que o mundo é diferente. Quem realiza exclusivamente os processos da natureza não tem conhecimento; ao contrário, é como alguém que só faz o que lhe prescrevem. Quem apenas executa o que de todo modo acaba acontecendo não produz nenhum conhecimento. Essa também é a razão pela qual uma ameba não tem conhecimento. A ameba ou outros animais, que reagem corretamente e com isso mantêm sua vida, não o fazem porque têm conhecimento.

Conhecimento e liberdade estão ligados. Quando representamos uma ideologia em que o conhecimento é reduzido a evoluções imanentes ao sistema, a liberdade deixa de existir. Quem, ao contrário, vê ou ao menos espera que seja possível deixar as evoluções pode falar de conhecimento e de liberdade, embora a regularidade permaneça preservada. Liberdade e necessidade andam juntas, desde que o essencial não consista justamente em realizar algo que seja incompreensível e que depois permita dizer: "Agora estou livre, agora vou fazer alguma coisa que seja totalmente incompreensível". Isso nada tem a ver com liberdade, pois ela significa cumprir as regras que vão sendo conhecidas, mas que não existem antes do conhecimento. As regras não estão simplesmente disponíveis. É preciso aceitá-las com resignação.

Plano instrumental e plano de interpretação da ciência

Estamos diante da seguinte questão: como resolver o problema de que a realidade, embora construída, é obrigatória? Até agora constatamos que a teoria científica tradicional e, aparentemente, também o construtivismo fracassaram nesse ponto. Como é possível reconhecer que o conhecimento provém de construções e que, ao mesmo tempo, a obrigatoriedade dessas construções existe?

De início, parece que esse problema se reduz a uma diferenciação entre o plano instrumental e aquele de interpretação da ciência. Segundo a teoria científica tradicional, a tarefa da teoria científica consiste em legitimar a ciência como um todo, a fim de mostrar que ela tem caráter científico. A nova teoria científica do realismo construtivo renuncia à legitimação e escolhe a base instrumental da ciência como um caso especial, que deve estar fora do julgamento filosófico. A princípio, isso funciona como se fosse uma limitação considerável da filosofia. Mas existem inúmeros exemplos de como essas decisões dos filósofos fracassaram na base instrumental. Começou com Kant, cuja filosofia prega que é impossível haver teoria da relatividade, e terminou com a Escola de Erlangen, que em primeiro lugar apresentou pressupostos bem determinados para a física. Essas reflexões metodológicas da escola de Erlangen sobre a física, por ela própria denominada "protofísica", não foram aceitas pelos físicos referidos (ver Janich, 1997).

O plano instrumental da ciência é a soma de afirmações que dão indicações sobre os respectivos construtos do campo da ciência. Estes dizem ao cientista que deles se ocupa como lidar com essas construções e o que delas se pode esperar. É indiscutível que as pessoas ficam bastante fascinadas com o que se pode aplicar tecnicamente. A grande rivalidade entre as ciências consiste no que é ou não reconhecido nesse campo, isto é, quando um construto cumpre sua tarefa e quando não. Quando então a comunidade dos cientistas finalmente se convence de que um grupo bem determinado de construtos não funciona, este deixa de ser interessante para a filosofia. Mas quando a comunidade dos eruditos se convence de que um grupo bem determinado de construtos cumpre sua tarefa, este passa a interessar os filósofos ou os teóricos da ciência. O funcionamento, a correção e a adequação de um sistema de afirmações são fatores discutidos pela ciência, não pela teoria científica.

À primeira vista, é uma coisa simples, mas durante anos foi combatida com veemência pelos teóricos da ciência. Todavia, vale considerar que, quando interferimos nesses processos como não cientistas, na maioria dos casos somos ridicularizados. É absurdo acreditar que se podem fazer prescrições para pessoas em um campo no qual elas trabalham há anos e são excelentes profissionais. Podemos criticá-las no que se refere ao sistema como um todo, mas não podemos provar que cometeram erros nos detalhes. Em princípio, isso não é impossível, mas, na prática, é bastante improvável. Também é difícil encontrar exemplos de algum filósofo que tenha acusado um cientista nesse sentido.

Contudo, se deixarmos o plano instrumental como está e o colocarmos fora da discussão sobre a teoria científica, teremos de redefinir a tarefa desta última. Por isso, o realismo construtivo entende que, sem interpretação dos construtos, não há conhecimento. Quem se demora no plano instrumental e visa apenas ao funcionamento dos construtos refere-se à ciência quanto à técnica, e não quanto ao conhecimento. O plano instrumental é comparável ao técnico, pois nele a diferença entre ciência e técnica não é concebível. Quando alguém se concentra no plano técnico, concentra-se também em processos técnicos que são absolutamente valiosos para tudo o que possa interessar na vida. Mas a técnica não tem nenhuma pretensão ao conhecimento, pois este exige sair do sistema para compreendê-lo. Quem não sai do sistema não o entende e, por conseguinte, não pode falar de conhecimento. Conhecer sempre significa questionar o que é dado, e não retratá-lo. O conhecimento requer que o que é dado seja colocado em um novo contexto que ainda não foi observado e que oferece novos esclarecimentos sobre a estrutura do objeto.

As exigências em relação aos processos de interpretação

Com isso, a teoria científica adquire uma série de novas tarefas que arranjam materiais para os processos de interpretação, realizam exames lógicos, filosóficos e linguísticos e, além disso, os coloca em relação com a sociedade. Pois, nesse caso, não devemos reincidir na metafísica tradicional e afirmar que observamos os resultados da ciência a partir de um ponto de vista absoluto e que procuramos a única interpretação correta. As interpretações podem ser múltiplas. Um sistema de afirmações de uma ciência pode ser interpretado de diversas formas. Quem o faz não entende a essência da interpretação como diretiva para utilizar um sistema. Na pedagogia, por exemplo, pode ser valioso o fato de alguém ter de fazer alguma coisa de determinada maneira para fazê-la corretamente. Mas isso também é uma redução do humano, e muitas vezes a educação deixa de funcionar porque muitos acreditam que ela seria a ordenação dos jovens num sistema. Tudo isso são reduções das possibilidades humanas. Portanto, quem acha que precisa descobrir a interpretação e que sua compreensão de um sistema de afirmações é o único correto não entende a interpretação.

Por conseguinte, outro ponto de vista é o espírito aberto em relação às interpretações. Ter o espírito aberto é uma exigência importante para o construtivismo e é o que o realismo construtivo requer nos planos da interpretação. O espírito aberto não resulta, como pensava Popper, da possível falsificação de uma teoria (ver Popper, 1994). Com efeito, os cientistas não esperam que em algum momento talvez alguém reconheça como um princípio ou um sistema de afirmações pode ser falsificado. O espírito aberto da ciência não funciona no plano instrumental, apenas no da interpretação. Aqui começa a grande queixa daqueles que têm medo do relativismo. Principalmente os membros da Escola de Popper estavam convencidos de que, com o espírito aberto, a ciência é relativizada e, desse modo, a exigência de conhecimento é negada. Superficialmente, isso parece ter alguma coerência. Quando se diz que o mundo é assim, mas também poderia ser de outra forma — quando, portanto, a ambiguidade é colocada no plano da descrição —, nada se diz. Isso é relativismo. A descrição não requer conhecimento. Ela é uma atividade aleatória que pode ser comparada com as atividades artísticas.

Uma das razões para o estabelecimento bem-sucedido do construtivismo foi o fato de ele ter podido opor alguma coisa ao relativismo. Quando entendemos os construtos como produtos das ações humanas, a questão do relativismo não aparece num primeiro momento, pois não afirmamos que estamos descrevendo o mundo, mas simplesmente que o espírito humano ou o ser humano como ser inteligente tem condições de criar combinações de circunstâncias que funcionem. Todavia, a esse respeito as Escolas de Erlangen e Bielefeld, quando autorizadas, constataram que existe uma multiplicidade de construções que são alternativas umas em relação às outras. Comparemos a concepção ocidental e a chinesa da estrutura do corpo. Essas duas concepções são totalmente incompatíveis e se excluem mutuamente. Porém, quando examinamos os êxitos obtidos com os tratamentos, vemos que ambas funcionam até certo ponto. Isso não deveria ocorrer no sentido da ciência tradicional, pois, nesse caso, teria de haver uma instância que nos permitisse decidir qual caminho é o correto. Na busca por essa instância, vimos que nessa base o construtivismo é novamente arruinado. A conquista de libertar-se da pressão do processo instrumental da ciência vai para outros mecanismos de pressão, aqueles dos jogos de ação ou das funções cerebrais. Desse modo, para dizer em termos poéticos, saímos de uma escravidão para outra.

Com efeito, no plano instrumental, a multiplicidade de construções permanece irrelevante não porque as construções nada nos dizem, mas porque substituem os campos da efetividade, porque são interações com a efetividade que modificam suas qualidades determinadas. A ciência modifica, e não descreve a efetividade. Nesse sentido, ninguém pode falar sensatamente de relativismo. Obviamente, a ciência pode modificar a efetividade das mais diversas maneiras. O que quer que venha a ser praticado como ciência, seja a cosmologia ptolemaica ou a copernicіana, acaba proporcionando um acesso totalmente diferente ao mundo. Contudo, em si essas modificações nada têm a ver com o conhecimento, que só é exigido depois que esses construtos são interpretados.

A multiplicidade da interpretação é outra condição do conhecimento. Se a interpretação fosse realmente uma via de mão única, se apenas uma interpretação estabelecesse a exigência absoluta, ela perderia sua função de libertar-se da pressão da natureza, o que seria então outra maneira de manter a pressão da natureza. Por isso, a interpretação tem de ser múltipla. É necessário que haja a possibilidade de indicar vários caminhos num processo de interpretação, e não apenas um.

Se renunciarmos à interpretação no que se refere ao espírito humano, ela se mostrará evidente em relação ao corpo humano. Sobre esse tema, Karl-Otto Apel, que não é construtivista, tem um interessante trabalho. Ele tenta interpretar a mecânica quântica e a teoria da relatividade em relação a condições especiais do corpo humano (ver Apel, 1975). Essa interpretação é um bom exemplo de estranhamento por parte de um filósofo que não conhece esse método. Isso vale apenas como exemplo para mostrar que é perfeitamente possível fazer uma interpretação do corpo humano, só que, no final das contas, as possibilidades são muito limitadas. Quando tomamos nossa corporeidade como medida do nosso conhecimento, pressupomos uma uniformidade que não existe em nossas percepções corporais.

Um grande reservatório de interpretações forma a interpretação no que se refere ao mundo da vida. O construto científico é tirado do contexto da linguagem científica e transferido para a linguagem cotidiana (ver Wallner, 1995). Isso é o que, de fato, permite ver que algo é tirado da linguagem dos especialistas, uma linguagem que não passa de uma diretiva para um pequeno grupo de pessoas. Quando saímos dessa linguagem com um construto científico e a traduzimos em linguagem cotidiana, trazemos esse construto para o plano do conhecimento. Isso nada tem a ver com a popularização da ciência ou com o fato de todos entenderem tudo, porque a ciência deve ser compreensível de modo geral. O essencial é que somente a linguagem cotidiana garante que um construto pode ser tratado de múltiplas maneiras, enquanto a linguagem dos especialistas sempre pressupõe o modo como o construto será tratado. A linguagem dos especialistas sempre determina quais modos de lidar com um construto são permitidos e quais não. Naturalmente, ela é muito útil e necessária, pois, sem ela, não poderíamos lidar com construtos. Por certo, temos de saber como executar determinadas transformações. Mas esses procedimentos são transformações linguísticas de tipo reduzido e estabelecido com exatidão. Sua recepção na linguagem cotidiana é o único caminho para o conhecimento.

A mudança dessas exigências no mundo atual

Essas reflexões referem-se basicamente ao campo da linguagem científica. No entanto, também é possível aplicar esses pensamentos em diferentes linguagens do cotidiano. Na tradução de uma língua para outra, podemos constatar que os significados nunca podem ser totalmente obtidos. Sempre resta certa imprecisão. Quando consigo identificar esse resto, adquiro conhecimento sobre o mundo de vida, que é a base das línguas predominantes em determinado momento (ver Ochoa, 1995). Se pensarmos nisso, não podemos afirmar que estamos diante de um relativismo ou de uma determinação unilateral. Ao contrário, a multiplicidade de possibilidades e o espírito aberto foram unidos a explicações muito explícitas. O mundo da vida foi concretizado com o auxílio da ciência e, por outro lado, também se levou em consideração a multiplicidade de mundos da vida.

Esse modo de pensar, esse novo acesso à ciência e ao conhecimento já se firmou nos ensinamentos universitários. Normalmente acontece de, entre os rigorosos professores de física, grande parte deles testar se o aluno tem condições de produzir construtos. Se for capaz disso no que se refere à física, então é um físico; caso contrário, não é. A última guinada é importante, pois, se não for capaz dessa mudança radical, então ele realmente não é um físico. Outra possibilidade de teste seria a tradução no mundo da vida, o que exige aptidões totalmente diferentes. Uma delas é a abstração formal; a outra, um talento que tem muito a ver com a imaginação, com o pensamento original. Herbert Pietschmann (1994) introduziu um procedimento que obtém exatamente isso. Ele não examina o aluno perguntando-lhe: "Como você chegou a esse sistema de afirmações e de onde o tirou?", e sim: "O que você não entendeu?"A princípio, parece uma estratégia bastante benevolente. Leva a crer que todos irão se sair bem. Mas quando ele pergunta o que a pessoa não entendeu, já tem de pressupor que o aluno ou aluna reconhecerá e poderá exprimir o que não entendeu. Obviamente, a resposta não pode ser "tudo" ou "alguma coisa". Tampouco pode ser: "Deduzi, mas não entendi por que isso se dá desse modo. Consegui memorizar, mas não entendo". A resposta correta seria: "Isso é o que se deduz, mas, por esta ou aquela razão, não sei por que é assim". Esse é um estranhamento que parte da linguagem formal da física para uma linguagem do candidato no mundo da vida. O candidato retraduz, essa retradução não dá certo, e esse fracasso transmite o reconhecimento do construto. Nesse caso, o reconhecimento é negativo. Ele constata que simplesmente não entende a razão de tal coisa ser como é porque não consegue retraduzi-la. Nas ciências sociais isso significa que, no exame, o candidato é incumbido de apresentar argumentos contra a relevância de determinado sistema metodológico. Logicamente, os argumentos tratados também devem ser pertinentes. É preciso dar lugar ao fluxo correto de pensamentos para que se possa estabelecer a relação com a insatisfação, com a oferta insatisfatória que se obtém de acordo com a própria opinião. Somente o aluno que conseguir estabelecer relações com o mundo da vida se sairá bem nessa prova. Isso torna o exame difícil.

Como conclusão para essas reflexões, eu gostaria de formular um pensamento sobre a reforma da universidade. Em princípio, já não deveria haver nenhuma disciplina limitada. Segundo nosso modelo, as disciplinas têm de ser fluentes. Não se deve distinguir a que área especial atribuir determinada disciplina, e sim incluir essa disciplina em uma unidade de projeto que leve em conta certas prescrições de como agir. Se levarmos o construtivismo a sério, as ciências são divididas de acordo com estruturas e possibilidades de ação, e não de acordo com estruturações do mundo, pressupostas pela metafísica ou previamente adotadas. O cânone de pesquisa em ensino surgiu do fato de a efetividade ser dividida em campos determinados, desde então pesquisados pela universidade. Esse é um modo de agir totalmente aleatório e não racional, cuja estrutura, embora tenha se tornado um hábito para nós, sempre tem de ser questionada.[4]

---

4. "[...] isso não quer dizer que duvidamos, porque podemos pensar uma dúvida. Posso muito bem pensar que alguém, sempre que abre a porta de sua casa, duvida se por trás dela não existe um abismo, e que essa pessoa tem de se certificar antes de passar pela porta [...], mas nem por isso eu duvidaria na mesma situação" (Wittgenstein, 1984, cap. 84).

Günter Gunia

Particularidades e aspectos em comum da medicina ocidental e daquela do Extremo Oriente

Afinal, o que é saúde?

No último século, o cientista judeu Antonovsky desenvolveu o modelo da salutogênese como modelo integrativo da doença. Nesse modelo, ele designa a saúde não como uma ausência de doença, mas como uma adaptação psicobiológica ao ambiente. A ruptura dessa adaptação produz sofrimento e doença.

Naturalmente, o grande denominador comum é, antes de mais nada, o restabelecimento da saúde, mas já nessa afirmação surge a primeira diferença. Afinal, o que é saúde? No Ocidente, muitas pessoas acreditam que a falta de sintomas, de queixas ou de sinais externos de doença é saúde. Além disso, os médicos ocidentais ainda citariam modificações objetivas, químicas ou físicas do corpo ou de suas funções como saúde. Mas será que no Extremo Oriente também é assim? Evidentemente não. A não ser que se parta da perspectiva médica tradicional.

Na Ásia, a saúde parte de uma observação holística. A base sempre foi o equilíbrio entre corpo, alma e espírito. A diferença em relação à medicina ocidental mostra que um desequilíbrio entre corpo, alma e espírito ou entre os órgãos isolados e seu metabolismo, incluindo a falta de modificações subjetivas ou objetivas de doenças, também pode representar a base para uma doença. Sendo assim, com o diagnóstico chinês, é possível acompanhar não apenas toda doença até sua origem, mas também reconhecer o aparecimento de uma doença já nas suas raízes. Um tipo especial de prevenção que a medicina ocidental não conhece.

A relação entre doença e sintoma

Para detectar precocemente uma doença, a medicina ocidental sempre depende de elementos químicos, biológicos ou físicos que chamem sua atenção. Para tanto, usa procedimentos cada vez mais analíticos e tecnicamente caros, porém, não consegue se aproximar do diagnóstico sutil da medicina asiática. Análises computadorizadas, ressonância magnética ou ultrassonografia vêm de um mundo diferente daquele do antigo diagnóstico milenar e aparentemente primitivo do Extremo Oriente: questionário, exame do corpo, da língua, das orelhas, do pulso e de determinadas partes da superfície corporal. O objetivo é sempre captar a qualidade, a quantidade e a interação dos cinco órgãos básicos existentes: fígado, coração, baço, pulmão e rins. Eles derivam dos cinco elementos básicos: madeira, fogo, terra, metal e água. A partir da tabela apresentada na página seguinte, é possível reconhecer a relação dos órgãos essenciais com todos os campos e todas funções do corpo e de seu entorno.

No exemplo da febre do feno, podemos reconhecer bem todas as relações. Nesse caso, trata-se sobretudo dos pulmões, que nos olhos são representados pelas conjuntivas, no nariz encontram abertura e, naturalmente, também contam com a participação dos brônquios. A febre do feno mostra-se com mais frequência pela inflamação da conjuntiva e da mucosa nasal, com inchaço ou intensa formação de secreção. Uma em cada três pessoas atingidas também sofre de bronquite, igualmente com inchaço, que leva ao deslocamento do corte transversal e, com isso, à dificuldade respiratória e à bronquite asmática. Como se vê, no sentido ocidental, há quatro especialidades médicas representadas: a oftalmologia, a otorrinolaringologia, a pneumologia e a abrangente alergologia. No sentido asiático, há simplesmente que se estabilizar o pulmão e eliminar os fatores que desencadeiam a inflamação. Por meio da medição do pulso, todas as qualidades e quantidades dos órgãos essenciais e dos órgãos a eles ligados (Zang/Fu) podem ser reconhecidas. Resultados semelhantes são obtidos observando-se a língua e os ouvidos. Assim, além de se constatar e avaliar a doença dos órgãos, também se descobre quais dos outros órgãos participaram do surgimento da doença.

Possivelmente o leitor já terá intuído a próxima singularidade a ser tratada: como toda doença pode ser provocada por modelos diferentes de órgãos, toda doença também é individual. Isso significa que pacientes com os mesmos sintomas não têm obrigatoriamente a mesma base patológica e, por conseguinte, podem ser tratados de forma individual. Independentemente da doença primária, inclui-se adicionalmente um modelo individual de órgão, que, do ponto de vista patológico, também pode refletir mais doenças. Ao se tratar o modelo patológico de órgão, todas as doenças podem ser abrangidas; desse modo, sempre se pode partir de um diagnóstico holístico e, assim, fazer o tratamento. Enquanto a terapia da medicina acadêmica ocidental sobrecarrega o

	Madeira	Fogo	Terra	Metal	Água
Órgão principal (Zang)	Fígado	Coração	Baço	Pulmão	Rins
Órgão secundário (Fu)	Vesícula biliar	Intestino delgado	Estômago, pâncreas	Intestino grosso	Bexiga
Partes do corpo	Parte interna das pernas, virilha, diafragma, costelas	Axilas, parte interna dos braços	Rosto, peito, laterais das pernas, virilhas	Peito, parte interna dos braços	Peito, parte interna das pernas, lateral do pé
Tecidos, líquidos	Tendões, feixes, unhas	Sangue, suor	Músculos, carne, tecidos conjuntivos	Mucosas, pele	Ossos
Armazena	Sangue	Linfa	Shen (espírito)	Qi	Jing
Qualidade	Gosto	Som	Líquido	Cor	Cheiro
Órgão dos sentidos	Olhos	Língua	Boca, lábios	Nariz	Orelhas
Sentido	Ver	Falar	Degustar	Cheirar	Ouvir
Paladar	Azedo	Amargo	Doce	Picante	Salgado
Olfato	Rançoso	Queimado	Adocicado	Apodrecido	Podre
Hora do dia	Manhã	Meio-dia	Tarde	Anoitecer	Noite
Clima	Vento	Calor	Umidade	Secura	Frio
Cor	Verde	Vermelho	Amarelo	Branco	Azul, preto
Emoções positivas	Amabilidade, imaginação, energia, realização	Alegria, amor, sorte, honra, respeito, criatividade, entusiasmo inteligência, irradiação, concentração, visão, autoconsciência, espírito aberto	Equilíbrio, compaixão, reflexão, musicalidade, justiça, veracidade	Integridade, coragem, desapego, vazio, capacidade de adaptação, senso de confiança básica	brandura, tranquilidade, alerta, silêncio, humildade
Emoções negativas	Ira	Inquietação interna	Cisma	Tristeza	Medo

corpo com fármacos, desde a ponta dos cabelos até as unhas dos pés, para alcançar um órgão ou sistema orgânico, na medicina asiática cada órgão pode ser atingido seletivamente sem sobrecarga para os outros órgãos. Até mesmo as funções isoladas dos órgãos podem ser seletivamente influenciadas sem que se produzam, ao mesmo tempo, efeitos colaterais perturbadores. Muito pelo contrário. Uma vez que muitos sintomas se baseiam numa perturbação orgânica comum, com frequência vários sintomas podem ser eliminados, ao mesmo tempo, com o tratamento de uma única perturbação orgânica. Por exemplo, zumbido no ouvido, estados de angústia, dores nos joelhos e nas costas ou doenças urogenitais indicam um problema renal. Eliminando-se esse problema, os sintomas também desaparecem. Essas afirmações soam tão estranhas e fantásticas que logo se manifesta o desejo de fazer um exame científico.

Tratamento individual ou cura de acordo com um esquema

Agora entram em jogo outras diferenças em relação à medicina acadêmica. Enquanto a medicina ocidental exige que se compare o maior número possível de esquemas estabelecidos de tratamento, a individualidade acima apresentada quanto ao modo empregado na cura mostra que dificilmente dois casos de tratamento podem ser comparados um com o outro quando se parte dos modelos individuais de órgãos. A isso se acrescenta que, em virtude da alta taxa de reação, um estudo placebo-controlado quase foi proibido por razões éticas. Além disso, é difícil avaliar se, por exemplo, uma acupuntura conscientemente mal aplicada não acaba influenciando na cura. De resto, seria preciso ter certeza de que, num tratamento com placebo, os efeitos de transferência de energia não desempenham nenhum papel. Apesar disso, de acordo com os padrões das universidades ocidentais, grandes estudos placebo-controlados mostraram que, mesmo sob as condições locais, os estudos realizados no campo das doenças ortopédicas da coluna e das articulações, bem como naquele das dores de cabeça, foram claramente bem-sucedidos em relação à medicina acadêmica. Se analisarmos essas indicações com mais cuidado, é de notar que se trata de doenças que chamam a atenção principalmente por sua cronicidade. Todavia, esta é um campo em que a medicina ocidental não pode oferecer cura, pois, em regra, não tem acesso à causa da doença. O objetivo da medicina asiática, no entanto, é tratar e curar toda doença a partir da causa original. Há muito tempo a medicina ocidental se aproxima desse tema através da psicossomática.

Essa área especializada também busca, por exemplo, as causas das doenças, e os resultados mais interessantes da psicossomática são mostrados pela psiconeuroimunologia. Antes de falar mais sobre isso, eu gostaria de apresentar a psicossomática a partir da perspectiva ocidental e daquela do Extremo Oriente (ver tabela).

Medicina ocidental	Medicina do Extremo Oriente (MTC)
Cerca de 200 anos de existência	> 5.000 anos de existência
Mesmo hoje, as doenças escolhidas (em regra, são consideradas apenas depois de oito anos como tais) não são evidentes.	Todas as doenças. A MTC é psicossomática.
O tratamento é orientado para a psicossomática.	O tratamento sempre é (obrigatoriamente) psicossomático.
O tratamento holístico é visto como conceito inovador.	O tratamento holístico é natural.
O objetivo é a eliminação das queixas, ou seja, a eliminação dos diagnósticos objetivos.	O objetivo é a homeostase psicossomática com base nos cinco elementos.
	A qualidade de vida desempenha um papel decisivo.
	Prevenção: salutogênese holística.
	Métodos antigos contra doenças modernas no exemplo da síndrome de Karoshi (morte súbita por excesso de trabalho).
	Psiconeuroimunologia: uma área ocidental moderna que há séculos já é praticada na MTC; morte do cônjuge, cuidados com um parente com problemas mentais, divórcio, separação e problemas conjugais influem na imunologia.

A cura das causas das doenças

No exemplo da psiconeuroimunologia reconhecemos os fatores psicológicos de risco como causas das doenças. Estudos diagnósticos no campo da MTC mostraram igualmente que a ligação entre frustração, depressão e agressão podem causar doenças autoimunes. Uma evolução emocional negativa, que influencia de maneira agressiva e destrutiva a imunologia do corpo, pode levar da febre do feno até a síndrome de goodpasture, do reumatismo até a púrpura trombocitopênica idiopática — tanto em crianças como em adultos. Especialmente em crianças, a aplicação de um conceito terapêutico holístico na orelha (com grãos de semente), que as impede de reagir agressivamente contra si mesmas quando acometidas por doenças como a bronquite asmática e a púrpura reumatoide, permite observar em detalhes como elas desenvolvem um gerenciamento subconsciente da agressividade.

Contudo, observando-se a tabela da teoria dos cinco elementos, que tem mais de dois mil anos de existência, é fácil reconhecer que mesmo antigamente esses conhecimentos não eram estranhos para os médicos tradicionais asiáticos.

As causas das doenças

- Internas: ira, tristeza, preocupação, estado meditativo, alegria, medo, choque
- Externas: vento, frio, calor do verão, umidade, secura, fogo
- Outras: constituição fraca, excesso de esforço (físico e mental), atividade sexual exagerada, alimentação incorreta, trauma, parasitas, intoxicações, tratamento incorreto

Já muito cedo os médicos asiáticos prestaram atenção nas causas das doenças e as trataram de maneira adequada. A ideia de que a acupuntura é um tratamento para a dor logo nos permite reconhecer quão pouco essa orientação é compreendida ainda hoje. Ela não é um tratamento para a dor, e sim um tratamento das causas da dor. Se a causa é tratada, a dor deixa de existir.

Por fim, naturalmente vale perguntar: o que se pode tratar com a medicina asiática?

Lista de indicações

Doenças do sistema de apoio e movimentação
Síndrome álgica miofacial, síndrome radicular, síndrome pseudorradicular, artralgias, artroses, artrite, artrite reumatoide, síndrome cervical, espondilite cervical, torcicolo, síndrome de Beckwith-Wiedeman (BWS), síndrome torácica, síndrome letal do overo branco (LWS), lombalgia, isquialgia, síndrome álgica lombossacral, coccigodínia, cervicobraquialgia, capsulite adesiva (ombro congelado), periartrite escapuloumeral, epicondilopatia, síndrome do túnel carpal, coxartrose, coxalgia, gonartrose, gonalgia, tendinopatia, aquilodinia, algodistrofia (Morbus Sudeck).

Doenças neurológicas
Dor de cabeça, enxaqueca, neuralgia do trigêmeo, dor facial atípica, neuralgia intercostal, neuralgia pós-herpética, dor fantasma, dor no coto da amputação, polineuropatia, parestesia, paralisias, hemiparesia, paresia facial, epilepsia, disfunção cerebral mínima, distúrbios do desenvolvimento na infância, distúrbios vegetativos.

Distúrbios psíquicos e psicossomáticos e doenças causadas por vícios
Disposição depressiva, depressão, distúrbios do sono, estado de esgotamento, síndrome psicovegetativa, estado de inquietação, tratamento de desintoxicação e acompanhamento terapêutico em doenças causadas por vícios (álcool, nicotina, medicamentos, drogas ilícitas), bulimia, obesidade.

Doenças broncopulmonares
Bronquite, pseudocrupe, hiper-reatividade brônquica, bronquite asmática.

Doenças cardiovasculares
Cardiopatia funcional, arritmias cardíacas, estenocardia, doença das artérias coronárias, hipertonia, hipotonia, distúrbios de irrigação sanguínea.

Doenças gastrointestinais
Distúrbio funcional gastrointestinal, soluço, hiperemese, esofagite, gastrite, gastroenterite, úlcera gástrica, úlcera duodenal, colangite, colecistite, discinesia das vias biliares, hepatite, obstipação, diarreia, síndrome do cólon irritável, doença de Morbus Crohn, colite, colite ulcerosa.

Doenças urológicas
Cistite, prostatite, pielonefrite, distúrbio funcional do trato urogenital, bexiga irritada, incontinência urinária, enurese noturna, impotência.

Doenças ginecológicas
Distúrbios do ciclo menstrual, dismenorreia, síndrome pré-menstrual, síndrome do climatério, adnexite, salpingite, mastopatia, distúrbios de fertilidade, frigidez, preparação para o parto, introdução ao parto, facilitação do parto, distúrbios de lactação.

Doenças otorrinolaringológicas
Polinose, rinite, sinusite, tonsilite, distúrbios do olfato, distúrbios do paladar, otite, surdez repentina, dificuldade auditiva, zumbido no ouvido, hidropsia endolinfática (doença de

Menière), tontura, cinetose, labirintite, estomatite recidivante, distúrbios da voz.

Doenças oculares
Conjuntivite, blefarite, uveíte, vista fraca, glaucoma, retinite pigmentosa, degeneração da mácula.

Doenças da pele
Urticária, neurodermite, eczema atópico, inflamações da pele, acne comum, furunculose, úlcera venosa da perna, feridas que não saram, herpes simples, psoríase.

Outras
Dores causadas por tumores, dor pós-operatória, dor de dente, dor pós-traumática, colapso, estado de choque, distúrbio imunológico.

Nem sempre se trata de poder escolher igualmente entre diferentes ofertas de terapia. Há muitas doenças para as quais a medicina acadêmica não pode oferecer nenhum tratamento, como o zumbido no ouvido, a degeneração da mácula, ou para as quais um tratamento holístico é mais bem-sucedido, como no caso dos

Distúrbios autônomos somatoformes

1. Distúrbios funcionais cardiovasculares
   a) neurose cardíaca
   b) síncope vasovagal
   c) desequilíbrio simpatovagal
   d) distúrbio de regulação da hipotonia juvenil

2. Distúrbios funcionais respiratórios
    a) hiperventilação (crônica)
    b) tetania associada à hiperventilação (dispneia aguda)
    c) tosse psicogênica
3. Distúrbios funcionais gastrointestinais
    a) meteorismo (síndrome de Römheld)
    b) dores epigástricas inespecíficas
    c) síndrome do cólon irritável
4. Dores funcionais musculares
    a) reumatismo de partes moles
    b) síndrome de fibromialgia
5. Dores funcionais neurológicas
    a) dor de cabeça devida à tensão
    b) distúrbios do sono
    c) distúrbios sexuais funcionais
    d) distúrbios psicogênicos do apetite
    e) distúrbios funcionais da visão

Enquanto a medicina acadêmica emprega diferentes estratégias, como a farmacoterapia, as técnicas de relaxamento ou os procedimentos da psicologia profunda para tratar essas doenças, na medicina asiática basta um único procedimento com poucas agulhas, como a acupuntura, para tratar o corpo, a alma e o espírito, ou seja, ao mesmo tempo, cuida dos sintomas e das causas.

Como podemos ver, existem pontos em comum entre a medicina ocidental e aquela do Extremo Oriente, como a psicossomática nos leva a reconhecer. Todavia, predominam essencialmente as particularidades de ambos os campos médicos em razão de sua própria filosofia, de suas perspectivas, de seu diagnóstico e de sua terapia. Contudo, isso não significa que esses campos se excluam mutuamente. Muito pelo contrário. Se unirmos ambos os campos em uma sinergia conveniente, no futuro teremos mais êxito com as exigências do cotidiano da medicina. Um questionário recente feito na Alemanha confirma essa hipótese. Oitenta por cento dos interrogados veem uma vantagem na combinação da medicina ocidental com a asiática (acupuntura). Aqueles que já puderam reunir experiências com essa combinação ultrapassaram os noventa por cento. Se conseguirmos eliminar o ressentimento entre ambos os campos médicos e criar uma base de formação padronizada e mundial (por exemplo, por meio da WHO)[5] para a medicina asiática e integrativa, uma estratégia holística e de alto valor econômico deixará de ser um obstáculo.

5. O fato de a interdisciplinaridade no campo das ciências naturais pertencer aos atuais desafios também provém de uma discussão entre notáveis estudiosos alemães das ciências naturais: "Nos últimos anos, a pesquisa interdisciplinar e transdisciplinar foi a que obteve os maiores êxitos e, quanto ao futuro, é a que apresenta as perspectivas mais promissoras" (Röthlein, 2000).

Bibliografia

Professor Fritz G. Wallner

Apel, Karl-Otto. "Philosophische Anthropologie 2. Das Leibapriori der Erkenntnis. Eine erkenntnisanthropologische Betrachtung im Anschluss an Leibnizens Monadenlehre", in: Gadamer, H.-G. & Vogler, P. (orgs.). *Neue Anthropologie*. Stuttgart, dtv-Thieme, 1975.

Dingler, Hugo. *Der Zusammenbruch der Wissenschaft und der Primat der Philosophie* (2ª edição revista e ampliada). Munique, 1931.

Duhem, Pierre Maurice Marie. *Ziel und Struktur der physikalischen Theorien* (trad. de F. Adler). Hamburgo, Meiner, 1998.

Einstein, Albert. *Mein Weltbild*. Zurique, Europa-Verlag, 1953.

Feyerabend, Paul. *Wider den Methodenzwang*. Frankfurt a. Main, Suhrkamp, 1976.

Fischer, Roland. "Wissenschaft und Bewusstsein der Gesellschaft — Regelhafte Gesellschaftsintegration", in: Wallner, F. G. & Agnese, B. (orgs.). *Konstruktion und Verfremdung. Von der Wirklichkeit zur Realität*. Viena, Braumüller, 1999, pp. 69-82.

Foerster, Heinz von. *Sicht und Einsicht. Versuche zu einer operativen Erkenntnistheorie*. Braunschweig, 1985.

Glasersfeld, Ernst von. *Radikaler Konstruktivismus. Ideen, Ergebnisse, Probleme*. Frankfurt a. Main, Suhrkamp, 1996.

Hartmann, Dirk & Janich, Peter (orgs.). *Methodischer Kulturalismus. Zwischen Naturalismus und Postmoderne*. Frankfurt a. M., Suhrkamp, 1996.

_____. *Die kulturalistische Wende. Zur Orientierung des philosophischen Selbstverständnisses*. Frankfurt a. M., Suhrkamp, 1998.

Husserl, Edmund. *Phänomenologie der Lebenswelt. Ausgewählte Texte, Bd. 2* (organizado por Klaus Held). Stuttgart, Reclam, 1986.

Janich, Peter. *Entwicklungen der methodischen Philosophie*. Frankfurt a. M., Suhrkamp, 1992a.

_____. "Die methodische Ordnung von Konstruktionen. Der Radikale Konstruktivismus aus der Sicht des Erlanger Konstruktivismus", in: Schmidt, S. J. (org.). *Kognition und Gesellschaft. Der Diskurs des Radikalen Konstruktivismus 2*. Frankfurt a. M., Suhrkamp, 1992b.

_____. *Erkennen als Handeln. Von der konstruktiven Wissenschaftstheorie zur Erkenntnistheorie*. Erlangen, Palm & Enke, 1993.

_____. *Das Maß der Dinge: Protophysik von Raum, Zeit und Materie*. Frankfurt a. M., Suhrkamp, 1997.

Kuhn, Thomas S. *Die Struktur wissenschaftlicher Revolutionen* (2ª ed. complementada e ampliada com um pós-escrito). Frankfurt a. M., Suhrkamp, 1969.

Lorenzen, Paul. *Methodisches Denken*. Frankfurt a. M., Suhrkamp, 1968.

_____. *Konstruktive Wissenschaftstheorie*. Frankfurt a. M., Suhrkamp, 1974.

_____ & Lorenz, Kuno. *Dialogische Logik*. Darmstadt, Wissenschaftliche Buchgesellschaft, 1978.

Maturana, Humberto. *Erkennen: Die Organisation und Verkörperung von Wirklichkeit. Ausgewählte Arbeiten zur biologischen Epistemologie*. Braunschweig, Vieweg, 1982.

_____. "Kognition", in: Schmidt, S. J. (org.). *Der Diskurs des Radikalen Konstruktivismus*. Frankfurt a. M., Suhrkamp, 1987, pp. 89-118.

_____ & Varela, Francisco. *Der Baum der Erkenntnis: Die biologischen Wurzeln des menschlichen Erkennens*. Berna, Scherz, 1987.

Newton, Isaac. *Mathematische Grundlagen der Naturphilosophie* (traduzido e organizado por Ed Dellian). Hamburgo, Meiner, 1988.

Ochoa, Hugo R. "Übersetzung als Verfremdung", in: Wallner, F. G. & Schimmer, J. (orgs.). *Wissenschaft und Alltag: Symposiumsbeiträge zum Konstruktiven Realismus*. Viena, Braumüller, 1995, pp. 78-88.

Pietschmann, Herbert. "Möglichkeiten und Grenzen der interdisziplinären Kooperation", in: Wallner, F. G., Schimmer, J. & Costazza, M. (orgs.). *Grenzziehungen zum Konstruktiven Realismus*. Viena, WUV, 1993, pp. 68-79.

_____. *Die Spitze des Eisbergs: Von dem Verhältnis zwischen Realität und Wirklichkeit*. Stuttgart/Viena, Weitbrecht, 1994.

_____ & Wallner, Fritz G. *Gespräche über den Konstruktiven Realismus* (organizado e comentado por J. Schimmer). Viena, WUV, 1995.

Popper, Karl R. *Logik der Forschung*. Tübingen, Mohr, 1994.

_____. *Lesebuch. Ausgewählte Texte zu Erkenntnistheorie. Philosophie der Naturwissenschaften, Metaphysik, Sozialphilo-*

sophie (organizado por David Miller). Tübingen, Mohr/ Siebeck, 1997.

Roth, Gerhard. "Autopoiesis und Kognition: Die Theorie H. R. Maturanas und die Notwendigkeit ihrer Weiterentwicklung", in: Schmidt, S. J. (org.). *Der Diskurs des Radikalen Konstruktivismus*. Frankfurt a. M., Suhrkamp, 1987, pp. 256-86.

Röthlein, Brigitte. "Die deutsche Forschung auf dem Prüfstand", in: *Spektrum der Wissenschaft, 5/2000*, 2000, pp. 100-2.

Schmidt, Siegfried J. (org.). *Der Diskurs des Radikalen Konstruktivismus*. Frankfurt a. M., Suhrkamp, 1987.

_____. *Kognition und Gesellschaft: Der Diskurs des Radikalen Konstruktivismus 2*. Frankfurt a. M., Suhrkamp, 1992.

Schütz, Alfred & Luckmann, Thomas. *Strukturen der Lebenswelt 1*. Frankfurt a. M., Suhrkamp, 1979.

_____. *Strukturen der Lebenswelt 2*. Frankfurt a. M., Suhrkamp, 1983.

Thurnher, Rainer. "Lebenswelt und Wissenschaft bei Edmund Husserl", in: Wallner, F. G. & Schimmer, J. (orgs.). *Wissenschaft und Alltag. Symposiumsbeiträge und Konstruktiven Realismus*. Viena, Braumüller, 1995, pp. 15-31.

Wallner, Friedrich. *Die Grenzen der Sprache und der Erkenntnis: Analysen an und im Anschluß an Wittgensteins Philosophie*. Viena, Braumüller, 1983.

_____. *How to Deal with Science if You Care for Other Cultures: Constructive Realism in the Intercultural World* (organizado por D. Leopold). Viena, Braumüller, 1997.

_____ & Agnese, Barbara (orgs.). *Von der Einheit des Wissens zur Vielfalt der Wissensformen: Erkenntnis in Philosophie, Wissenschaft und Kunst*. Viena, Braumüller, 1997.

Wallner, Fritz G. *Acht Vorlesungen über den Konstruktiven Realismus*. Viena, WUV, 1992a.

_____. "Der Konstruktive Realismus. Theorie eines neuen Paradigmas?", in: Wallner, F. G., Schimmer, J. & Costazza, M. (orgs.). *Grenzziehungen zum Konstruktiven Realismus*. Viena, WUV, 1993a, pp. 11-23.

_____. "Die neue Wiener Schule des Konstruktiven Realismus", in: Wallner, F. G., Schimmer, J. & Costazza, M. (orgs.). *Grenzziehungen zum Konstruktiven Realismus*. Viena, WUV, 1993b, pp. 24-7.

_____. "Die Multikulturalität als Bedingung des Konstruktiven Realismus", in: Wallner, F. G., Schimmer, J. & Costazza, M. (orgs.). *Grenzziehungen zum Konstruktiven Realismus*. Viena, WUV, 1993c, pp. 140-48.

_____. "Die Rolle der Lebenswelt für die wissenschaftliche Erkenntnis", in: Wallner, F. G. & Schimmer, J. (orgs.). *Wissenschaft und Alltag: Symposiumsbeiträge zum Konstruktiven Realismus*. Viena, Braumüller, 1995, pp. 9-14.

_____ & Haselbach, Arne (orgs.). *Wittgensteins Einfluss auf die Kultur der Gegenwart*. Viena, Braumüller, 1990.

_____, Schimmer, J. & Costazza, M. (orgs.). *Grenzziehungen zum Konstruktiven Realismus*. Viena, WUV, 1993.

Wittgenstein, Ludwig. *Tractatus logico-philosophicus. Werkausgabe Bd. 1*. Frankfurt a. M., Suhrkamp, 1984.

Zitterbarth, Walter. "Konstruktiver Realismus und wissenschaftlicher Instrumentalismus", in: Wallner, F. G., Schimmer, J. & Costazza, M. (orgs.). *Grenzziehungen zum Konstruktiven Realismus*. Viena, WUV, 1993, pp. 39-51.

Os autores

Fritz Wallner: professor de Filosofia e Teoria da Ciência na Universidade de Viena. Desenvolveu um sistema alternativo da teoria da ciência, o chamado "Realismo Construtivo" (RC), que se tornou objeto de discussão em mais de sessenta países. Há duas décadas faz pesquisas no campo da medicina tradicional chinesa. Publicou muitas obras sobre o tema, que foram traduzidas em 14 línguas, e apresentou palestras em congressos internacionais. É codiretor do Instituto para Medicina e Teoria Científica na Universidade de Medicina Tradicional Chinesa em Pequim.
Website: www.univie.ac.at/constructive-realism

Dr. Günter H. Gunia: professor e médico especialista em clínica geral, com ampla formação em MTC na China. De setembro de 2001 a setembro de 2003, foi diretor do Centro de MTC e Medicina Integrativa nas clínicas St. Hedwig, em Berlim. Além de fundador do Centro de Formação Johanniter, em Bramsche, foi seu diretor de 1997 a 2001. Reuniu ainda os cargos de professor honorário na Universidade Potsdam e docente de MTC na Universidade Charité (até setembro de 2003), bem como na Universidade de Potsdam. Até 2003, foi ainda segundo-presidente e diretor do departamento de pesquisa e ensino do ATCÄ (Akupuntur- und TCM-Gesellschaft in China weitergebildeter Ärzte [Sociedade de médicos com especialização em acupuntura e MTC na China]).
Website: www.gunia-akupunktur.de